人生を豊かにする

歴史・時代小説教室

安部龍太郎　門井慶喜　畠中 恵

文春新書

1357

はじめに

「歴史時代小説を書いてみたいけれど、なんだか難しそうで……」

　こんな言葉を文芸編集者をしているとよく耳にします。それ以前に「歴史小説と時代小説の区別がつきません」と聞かれることもありますが、これについては比較的簡単です。

「実際の歴史上の出来事や人物をベースに書かれたものが歴史小説、舞台は過去だけど（江戸時代の場合が多いですね）、登場人物や出来事は創作された部分が大きいものが時代小説」と説明をしています。たとえば司馬遼太郎さんの『竜馬がゆく』や『燃えよ剣』は歴史小説、池波正太郎さんの『鬼平犯科帳』は主人公の長谷川平蔵は実在した火付盗賊改方長官ですが、配下の役人や盗賊たちについては創造されたものなので時代小説ということになります。

　こういったジャンルの小説は大河ドラマや捕物帳など、テレビドラマの原作としても、日本人に長く親しまれてきましたが、実際に書くとなると、現代小説やＳＦなどのジャンルに比べてハードルが高いと感じられるのはなぜでしょう？　曰く「どういう資料を使えばいいか分からない」「題材をどのように探せばいいか分からない」「史実と創作のバランスのとり方がわからない」等々……。分からないことだらけで、いざチャレンジしようとしても挫けてしまう方が多いようです。

そこで「オール讀物新人賞」という、歴史時代小説の短編に特化した公募の賞を主宰する「オール讀物」編集部では、二〇二一年春、同賞の選考委員を務める、安部龍太郎さん、門井慶喜さん、畠中恵さんをお招きし、「歴史時代小説書き方講座」を開催しました。いまでは第一人者として、多くのファンを獲得しているお三方ですが、作家としてデビューするまでの道のりはいずれも平坦なものではなく、あくなき努力と工夫を現在でも続けていらっしゃいます。

どのようにプロの作家が自身の書き方を身につけ、さらにスキルアップをしていったのか――いわば作家としての「秘伝」を惜しみなく公開していただいたわけですが、この度はそれが書籍として一冊にまとまることになりました。本書がきっかけとなり、より歴史時代小説を「読む」「書く」ことを楽しんでいただければ幸いです。

「オール讀物」編集長　川田未穂

（聞き手プロフィール）

一九九五年文藝春秋入社。二〇二〇年より小説誌「オール讀物」の編集長。

これまでに大島真寿美『渦　妹背山婦女庭訓魂結び』、川越宗一『熱源』、馳星周『少年と犬』などの直木賞受賞作ほか、木下昌輝、佐藤巖太郎、千葉ともこら歴史時代ジャンルの新人も数多く担当。

本書は、二〇二一年四月九日〜一一日に行われた「『オール讀物』歴史時代小説書き方講座」を新書化したものです。

人生を豊かにする　歴史・時代小説教室◎目次

畠中 恵

畠中恵の五箇条

◇博物館で実物を見る

◇古本は宝の山

◇「切絵図」を持って街に出よう

◇本は一期一会なのでケチらずに

◇締切に間に合わせるのがプロ

畠中恵（はたけなか　めぐみ）高知県生まれ、名古屋育ち。漫画家を経て、二〇〇一年、『しゃばけ』で、日本ファンタジーノベル大賞優秀賞を受賞してデビュー。以来、『しゃばけ』シリーズ、『まんまこと』シリーズなど人気作品を発表。一六年、第一回吉川英治文庫賞を受賞。歴史小説『わが殿』など、話題作を次々と生み出している。

——畠中さん、よろしくお願いいたします。まずは、作家デビューまでの道のりを手短にお話しいただけますか。

畠中　私の場合はごく平々凡々といいましょうか、小説家になる前に漫画家をしておりましたので、創作を仕事にしてはいました。ただ小説に関しては、まったくの素人ですので、小説教室に通って、小説新人賞に応募して、賞を取って作家になった……という次第です。この点は、いま小説家を目指している皆さんとあまり変わらない状態におりました。これだけですと、あまりにも平凡な修業時代なんですが、ちょっと違ったのは、初めて賞に応募するまでに時間がかかりすぎたこと。実は、八年近くもかかっているんです。その点を除けば、とりあえず普通に教室で講義を受けて、普通に新人賞に出しました。

——その頃からずっと時代小説を書いていたのでしょうか？

畠中　違うんですよ。私が通った教室は都筑《つづき》道夫《みちお》先生の教室でした。先生は本格ミステリーの『猫の舌に釘をうて』、『やぶにらみの時計』や江戸を舞台にした『なめくじ長屋捕物さわぎ』シリーズなど、多くのジャンルの作品をお書きになっていました。ミステリー、SF、児童向き、いろいろ書いていらしたので、「作家というのはそういうものか」と考えるようになっていました。私もミステリー小説もSF小説も書きました。たまたま、賞をいただいた『しゃばけ』（二〇〇一）が時代物だった、ということです。

――『しゃばけ』が優秀賞を受賞することになる日本ファンタジーノベル大賞に応募されたのは、何か理由があってのことだったんでしょうか？

畠中　自分の小説をどこに応募していいか分からなかったので（笑）。『しゃばけ』は、時代物でもあるし、妖《あやかし》（妖怪）が出てきて、ちょっとミステリー要素もある。「さて、どこへ出そうか……」と考えまして、あの賞なら足切りはしないだろう、と選んだのが、ファンタジーノベル大賞だったわけです。

――確かに妖がいっぱい出てくること以外は、江戸の情景を生き生きと描いた時代小説ですものね。『しゃばけ』で描かれる江戸の出来事は、すごくリアルです。

畠中　あの小説にはひとつ大きな嘘があります。つまり、妖が出てくるという嘘。

大きな嘘を書くには、周りの出来事をキッチリと事実で固めた方が、嘘がつきやすいんですね。これは昔からある小説の作法だと思います。

――では、実際にどうやって作品を作っていくのか。題材の選び方、資料の選び方・探し方、プロットの作り方――畠中流のノウハウを具体的に話していただけますか。

畠中　いま「畠中流の」と言われましたけれど、この講義で話す時代小説の作り方は、まさに「小説の作り方・畠中バージョン」にすぎません。そのことをお断りしたうえで、まず題材の選び方からお話しすることにしましょう。

歴史・時代小説と一口にいいますけれども、大きく歴史物と時代物があります。私の書くものは時代物がほとんどですので、基本、皆さんは時代物に興味があるということで進めさせていただきます。また時代は、江戸時代が多いです。

架空の人物に肉付け

――江戸時代と一口に言っても二百六十年続いた時代です。畠中さんが『しゃばけ』を書くときに、江戸時代の中から舞台となった時期をどう選んだのでしょうか。

畠中　『しゃばけ』の背景に文化、文政時代、西暦でいえば一八〇〇年あたりを選んだのは、そこが一番江戸らしい時代だったからなんです。ほかの書き手の方も、市《し》井《せい》ものですと、このあたりを選ばれることが特に多いと思います。

ちなみに歴史小説では、まず書きたい主人公から決める事が多いでしょうか。例えば織田信長を主人公に決めると、信長の資料を探す事から始める訳です。仮に実在の主人公から書くやり方を、縦軸から書くとします。

一方、時代小説の場合、主人公は作家が作るので、資料はありません。ではどういう形で時代物を作っていくかと言うと、まずは主人公が生きている時代を設定し、その時代の資料を読んでいくことになります。時代、横軸からの書き方としてます。高橋麻之《あさの》助《すけ》が主人公の『まんまこと』(二〇〇七)は、こちらの書き方になります。

――麻之助について補足しますと、彼は江戸の神田の町名主のひとり息子で、親や周囲からの期待を一身に背負って育ちました。ところが、十六歳のときに、それまでの真面目さはどこへやらお気楽ものになってしまった。清廉潔白なヒーローというよりも、愉快でおとぼけの主人公が二人の幼馴染と一緒に、町内のさまざまな事件を解決していきます。麻之助のような人物をどのように生み出していくのでしょうか。

畠中　高橋麻之助をどのように肉付けして人物像をこしらえていくかといえば、一八〇〇年頃の江戸に関する資料を読み込んで積み重ね、それによって江戸らしさやこの時代にいそうな人物像を作り出すというやり方があります。他にも色々な方法はあるでしょうが。

――横軸ならではの書き方、ということですね。

畠中　そういうことですね。江戸時代に、昔の町で暮らしていけるだけの知識を作者自身が得る、ということでしょうか。そのためには、ビジュアルな資料も見て、「ああ、こういう風に暮らしているのか」と、自分の頭の中に叩き込んでいきます。

視覚的な資料も重要

畠中　文字資料だけですと資料の文章表現にどうしても引きずられがちで、同じ文章になってしまう心配があります。それが絵になりますと、それを自分がどう表現するかというところからはじめるわけですから、私はすごく好きですね。

――東京でいえば墨田区にある江戸東京博物館、通称「江戸博」なんかに行ってみてもいいですね。実物大の日本橋など江戸の街並みが再現されている施設です。

畠中　はい。あそこは、私も好きです（笑）。あと、江東区にある深川江戸資料館に行ったりもしますね。

――江戸資料館は、天保《てんぽう》年間の江戸深川の街並みを実物大で再現した博物館ですね。

畠中　江戸資料館は、物の大きさを確かめるのにいい場所です。復元された長屋の中を見てみると、お茶碗とかお膳とか、思ったよりも小さいことに気が付きました。「あの時代はみんな小さかったのかな」と思って地方に行って確かめてみると、そんなに小さくはない。「ああ、やっぱり江戸は人口が密集してるから、ひとつひとつが小さかったんだ」と納得した覚えがあります。

――夜鳴《よな》き蕎麦《そば》屋とか天麩羅《てんぷら》屋とか、いろんな屋台も再現されていて、そういった場面を書くのにもすごく役立ちそうですね。

畠中　その時代を頭の中に入れる。これが最初に必要な作業ですね。それと同時に、麻之助さんでしたら仕事が町名主なので、町名主のことも並行して調べていきます。町名主の仕事内容とか仕事の段取りとか、これはかなり細かく調べなければいけないので、資料を見つける必要がありますね。

――役に立つ本の探し方は、皆さん興味があるところだと思います。詳しく教えてください。

畠中　そうですね。資料探しで一番手近なのは、なるべく大きな本屋さんの時代歴史物コーナーでしょう。それと古本市。特に神田の古本市なんかですと、企業が持っていたすごく良い資料がワゴンに乗せられて出たりするんですよ。あれが好きで毎年通っています。髪型に関してですと、化粧品会社のＰＯＬＡが持っていた資料がとても充実していて、片っ端から買ったことがありますね。それから、和菓子の虎屋が食品に関しての資料を持っていたり、千葉のお醤油屋さんの資料があったりと図書館にはないものもあります。企業から出てくる資料には、見るべきものがかなりあるんですよ。皆さんが、今書いている時代小説には直接関係ないかもしれませんが、こういったことも知っていて損はないと思います。

あとは古書店です。インターネットの古書店もありますけど、実際に足を運んで現物を手に取って見ますと、自分が本当に探し求めているものが何か、よりよく分かるように思います。それに古書店さんと馴染みになって、「この店にはこれが、あの店にはあれがある」と分かってくると、通うのも楽しくなると思います。

――図書館はいかがですか？

畠中　図書館も利用します。明治を舞台にした『若様組』シリーズを書くときは、国会図書館にしばらく通いました。時代が現代に近くなってくると資料も多くなり、内容も細かく詳しくなるものですから。国会図書館にはマイクロフィルムなどで、古書店にも無いような資料があります。

江戸の暮らしが具体的に分かるものとしては、近頃はCDも出ているんですよ。「日本橋繁昌絵巻の世界　熙代勝覧《きだいしょうらん》」とか「大江戸四季の音巡り」とか。朝起きて、井戸端へ行って、お風呂屋さんに行って、子どもたちを寺子屋へやって……そういうごくごく日常の暮らしぶりを自分の中に溜めて、自分が暮らせるようになればしめたものです。これが資料探しの第一歩ですね。

時代小説と漫画との親和性

——資料を読むことって、けっこう楽しいものなんですね。

畠中　そういう楽しさを覚えると、また資料をどんどん調べていって知る範囲が広がっていく。そうやって自分の中の世界が広がっていくと書くのもまた楽になるという好循環が生まれます。資料の中には、絵がすごく多いものもあって。今の若い人たちは、漫画も読んでらっしゃるので絵から入るでしょ。絵から入ると、資料を読むスピードも速いし取っ付きやすいと思いますよ。

——それですと『鬼平犯科帳』（池波正太郎《いけなみしょうたろう》）を漫画で読むのもいいですか？

畠中　そう思います。漫画家の方ってすごく調べていらっしゃいます。私は、ＢＬ（ボーイズラブ）漫画の紗久楽《さくら》さわさんを存じあげてますが、よく調べておいでですよ。

——紗久楽さわさんは、江戸時代を舞台にしたＢＬ作品『百《もも》と卍《まんじ》』（文化庁メディア芸術祭マンガ部門優秀賞）などで知られていますね。あの方の漫画は綺麗だし、江戸の風俗描写は見事です。

畠中　紗久楽さわさんと知り合って『まんまこと』のコミック版も描いていただきました。その縁もあって、紗久楽さんも参加している江戸《えど》連《れん》さん（江戸風俗文化を愛するNPO法人）の同人誌を文春さんに紹介して電子書籍として出してもらいました。

――『江戸風俗文化資料集』（全三冊、電子版のみ）ですね。歌舞伎、町火消、園芸など様々な江戸にまつわるテーマごとに読み物としてまとめた本です。ビジュアル的で見ていて楽しいし、自然に知識が入ってくる。髪型とか着物の柄ひとつとっても、江戸時代を知るための勉強になりますね。

畠中　そうなんです。これから江戸を舞台に時代小説を書こうという方には、すごく重宝する資料集だと思います。

デビュー前に「構成分解」を

――資料の読み込みが進みますと、実際に小説に落とし込んでいく段階になりますね。

畠中　時代を設定し、その時代のことを調べ、登場人物のことを決める。準備段階が終わると、あとは、書きたいこと、主人公の人となりみたいなものをどんどん書き出して、プロットを作っていくわけですね。

実はそのプロットを作る前にやって欲しいことがあるんです。これは、作家としてデビューする前に一度やっといた方がいいんじゃないかなという作業――自分もやってた作業なんですけれど、「構成分解」というものです。

――構成分解とはなんですか？

畠中　プロットを立てるには、「起承転結」とか「序破急《じょはきゅう》」とか、いろんな作り方があります。その中から、自分に合ったプロットの立て方を見つけ出せたら、いいなと思います。それを見つけるためにはなにをすればいいか？　私の場合は「この小説が好きだ！」と思う作品を用意して、それを頭から丁寧に読んでいきました。そのときに、どういう形で構成されているかを書き留めていくわけです。話の全体を一〇〇％とすると、出だしから何％のところで話の展開が変わっているかとか、主人公が窮地に陥るのは何％のところか、最後の謎解きはいつ始まるか……など、全体の中でのバランスを分析するのです。

構成分解とは?

話全体を一〇〇パーセントとして、それぞれどのような比率で構成されているのかを分析すること。

(例)

始まり・世界観を示す

← 問題発生

← 対処

← 窮地

← 葛藤、心情

← 行動など

← 終わり

この構成分解をすると、好きな小説のプロットを学ぶことにもなりますし、他の作品でも試してみると、自分に一番合うプロットの立て方が分かってきます。そうやって選んだプロットに、自分が書こうとしているお話を乗せてみる。これが構成分解の学び方です。

——なるほど、お手本とする作品がどういう構成になっているかを徹底的に分解してみるわけですね。

畠中　構成分解は短編のほうが向いているようです。実をいいますと、大好きな宮部みゆき先生の分厚い作品を構成分解しようとして諦めた記憶があるんです。あまりにも密な構成で書いてあって、「ああ、ここまで書いておいでなのか」と感激はしたんですけど、分解は果たせなかった。自分の経験から申し上げると、短いものを数多くやった方がいいように思います。

――構成分解はプロの作家になる前にやっておくのがいい、というのは何か理由がありますか？

畠中　構成分解するには、けっこう時間がかかるんです。編集者に「もうすぐ締切ですよ！」って催促されている最中に、悠長なことやってられないですよね。まずデビュー前にやってみて、プロットづくりの技術を身につける方がいいと思います。作家デビューが出来たあとは、壁にぶつかった時とかにやってみるのもいいかも知れない。

――必ずしもデビュー前だけじゃなく、プロになっても役立つんですね。

畠中　そうなんです。例えばデビュー作の評判がよくて、それがシリーズになることもありますね。それを雑誌に毎月連載すると、年に十から十二本（十二話分）、シリーズになると十年続くことだってある。全部で百二十本ですよ。そうすると世間からマンネリの声が聞こえてくる。そこで、マンネリを避けるためには「構成の変化」をやれると助かります。構成の変化とは、自分が慣れていて、得意な構成を変えるわけです。この構成分解の方法を身につけておくと、楽かなと思います。

——若い時に身につけた技術が、実際に作品を定期的に発表する作家になっても役に立つということですね。畠中さんが、こんな構成の話が好きだ、という作品は何でしょうか。

畠中　好きすぎる小説だと、ついつい話の内容にのめり込んじゃって構成分解をし忘れていて、分からないです。（笑）。すでに評価の定まった作品を選ぶのがいいかもしれないです。

——畠中さんの『しゃばけ』や『まんまこと』なんかの一編も、四百字詰め原稿用紙八十枚ぐらいですから、これから構成分解をしてみたいと思う方にはぴったりかもしれないですね。

手はじめに人物設定表づくり

——資料も揃えました、プロットも立てました。さあ、いよいよ書き方ですよね。

ここからが畠中さんのお話の肝《きも》になります。

畠中　最初に人物設定表みたいなものを作ります。これは何かといいますと、まず主人公、そして主要な登場人物、その他、といった感じに名前を上から順に並べます。そして、それぞれの人物の職業とか役割とかキャラクターを、例えば麻之助さんなら、その名前の横に「町名主の跡取り」「町内の民事事件の裁定役」「性格は愉快でおとぼけ」という具合に書き込んでゆく。この表が出来上がると、次に今回の話はどういう筋立てになるか、あらすじみたいなのをパーッと書いていきます。そして、たくさん書いたプロットを短いものにまとめて、パソコンの側《そば》に貼ってます。――ペライチぐらいの短いものになりますね。

――ペライチというのは、ペラッとした用紙一枚分のことで、われわれの世界では二百字詰め原稿用紙を指しますけれども……。

畠中　私の場合は原稿用紙ではなく、百円ショップか何かで真っ白な罫線《けいせん》のない用紙を買ってきて使います。それにザーッと自分の思いつくままを、いっぱい書いていくんですね。それをだんだん削り込んでいって、最後はペライチにまで落とし込んでいきます。先ほど紹介した人物設定表とこのペライチの構成書とを傍らに置いて、やっとパソコンを立ち上げて書き始めるんです。これがいつもの私のやり方ということになりますね。

――書く作業に、短編一話分であれば何時間、あるいは何日ぐらいかかるものですか？

畠中　私の場合、ひと月に四百字で八十枚弱を二本書いていっぱいいっぱいというところです。詰まると、前のお話を書きながら、次のお話の構想を練るって感じになります。両方のお話で掛け持ちになるのは一週間ぐらいだと思いますけれども。

役に立つ資料

――話は若干戻りますが、きょうは、江戸時代を知るために役立つ資料をいろいろと紹介してもらえるそうですね。

畠中　まずご紹介したいのは、おそらく時代物を書く方は皆さんお持ちの資料だと思いますけれど、岩波文庫から出ている『近世風俗志（守貞謾稿《もりさだまんこう》）』という本です。喜《き》田《た》川《がわ》守《もり》貞《さだ》という人物が江戸末期に三十年かけて著《あらわ》した百科事典『守貞謾稿』（全三十五巻）をコンパクトにしたものです。コンパクトとはいっても文庫五冊からなっていて、江戸、京都、大坂の風俗などを索引で調べることができます。図版も豊富に入っているので、とっても使いやすく、貴重な資料なんです。

ただ、一点だけ注意していただきたいのは、江戸の後期の風俗は克明《こくめい》に解説されているんですが、戦国からすぐの江戸初期を書こうと思う人には、ちょっと時代がずれるので不向きかも知れないことですね。

――お持ちになった本には、付箋《ふせん》がずいぶん貼ってありますね。

畠中　ほんと、この資料、よく使うんですよ。

――作品ごとに付箋の色を分けている感じですか？

畠中　色分けしていないので、付箋がだんだん増えてきて、一体何を書くときに調べたのか分からなくなっちゃったんです。それで付箋自体に書き込みをするようにはしてるんですけど。

――付箋には、何を書いているんです？

畠中　例えばこの付箋には「茶屋」とか書いてありますね。こっちの付箋には「銀15匁《もんめ》」とか書いてある。

貨幣は一筋縄ではいかない

――時代小説を書く時に気になるのが、物の値段です。読者にイメージを持ってもらうために現代のお金に換算したりする必要もありますよね。

畠中　すご〜く大変です（笑）。ぜひ知っておいて欲しい話があります。江戸のお金は、金と銀と銭が主なんですけど、一般的に京や大坂の上方《かみがた》は銀、江戸は金とか言われますよね。「東の金遣い、西の銀遣い」という言い方もされますけど、実はそういう違いがあるのは最後の決済段階ということが多くって。一般の人たちは、両方使ってたようです。

――金も銀も両方？

畠中　はい。江戸の資料を見ると、大工の賃金は銀で示してある。あれ、江戸は金じゃなかったっけ？　と思いますよね。しかもですね、江戸のお金って、金・銀・銭のうちの銭貨は十進法なんですけど、銀貨・金貨は四進法になるんです。しかも「秤《ひょう》量貨幣《りょうかへい》」といって、銀なんかは重さを計って支払うこともある。だから単位がもうバラバラ。さらにその上、銭・銀・金にはそれぞれ相場が立ってるんですよ。相場の変動によってどの通貨で払えば得をするかという問題も起きてくるわけです。ですから、お金の知識はあらかじめ仕入れておいた方が、あとあと楽になると思います。

――時刻はどうですか？　時代小説でよく見る一刻、二刻とか、丑三《うしみ》つとか、そのあたりはどのように書いてますか？

畠中　時刻はお金ほど煩雑ではないので、それほど苦労はないですね。ただ、読者には馴染みのない数え方ですので、「午《うま》の刻」という言葉を出す前に、「あ、そろそろ昼どきかな」って台詞《せりふ》を入れたりして、さりげなく説明するような工夫はしていますね。時代物を読んでる方は慣れてらっしゃるでしょうけど。

ところで、「おやつ」は「八《や》つ刻《どき》」から来ているというのはよく知られてますけど、八つ刻が午後三時のことだと思っている方、けっこう多いです。本当は「午後二時から四時」の二時間を指すんですけれど。

――三時のおやつっていうけど、二時間の幅があったんですね。

畠中　そういうわけで、お金にしても時間にしても、現代人には少し分かりづらいところがあります。そこをどう解決するか。カッコ書きで説明を加えるか、私がよくやるように前後に台詞を置いて補助するか、何もしないで通しちゃうか……いろんな手段があると思うんですけど、どの手段をチョイスするかが書き手の味にもなってくると思います。

ストーリーが先か、キャラクターが先か

――畠中さんの作品では、キャラクター造形が際立って鮮やかという感じがするんですけど、そのあたりはどうしていますか？　まず主人公のキャラから作るのか、脇の登場人物から作るのか、それともストーリーから作るのでしょうか。

畠中　『まんまこと』では、主人公の置かれた立場から作った気がします。高橋麻之助さんは町名主の跡取りですから若いお兄さんにしよう、若いお兄さんだから性格は真っすぐにするか、みたいな感じですね。だけど、性格が真面目すぎると煮詰まり

そうだな、と思い直しまして、じゃあ、町名主が裁いたり解決したりのお話がどうすれば映《は》えるだろうかと考えた。そこで「町名主らしからぬ人」という性格が思い浮かんだわけです。あとは、麻之助さんと絡んだり対比させたりする周りの人物の性格も、だんだん決まっていったような気がします。

――『しゃばけ』の主人公一太郎はどうですか？　割と大きな薬種問屋の身体の弱い一人息子という設定ですが、どうやって造形されていったんでしょう？

畠中　時代物の主人公って、今までもいっぱい生まれましたけど、自分の小説の主人公にはやっぱり目立ってほしい。その点、あそこまで身体の弱い主人公は他にいないんじゃないか。「そうだ、それにしよう！」と。さんざん考えた末に、こんな感じで決まったと記憶しています。

――なるほど。でも、そこに、ご主人に仕える佐助や仁吉《にきち》らの「妖《あやかし》」を絡ませてみようという発想はどこから生まれたのですか？

畠中　私が通っていた教室の都筑道夫先生の代表作に『なめくじ長屋捕物さわぎ』があるんです。なめくじ長屋という、すごく貧乏な長屋に住むすごく貧しい人びとの、とってもハッチャケたお話でして、砂絵師を中心に仲間たちが怪事件の解決に取り組むんですね。で、「ああいう仲間が欲しいな、私の小説にも」と思ったんです。だけど、都筑先生のお話が好きなだけに、同じような登場人物ではかなり重なってしまう。そう思って、「人でない人」を一太郎さんの仲間にしよう、という風に考えたように思います。

――ここで、皆さんからの質問を紹介します。

《妖の資料って、豊富にあるものなんでしょうか？　どんな資料があるのか教えてください》

畠中　私が最初に買ったのは「百鬼夜《ひやっきや》行《こう》」です。正式な題名が『画図百鬼夜行』（国書刊行会）といって、安永年間の絵師、鳥山石燕《とりやませきえん》による妖怪画集です。角川文庫ソフィア文庫から『画図百鬼夜行全画集』というのも出ています。妖ものの展覧会も各地で開かれていますから、それを見に行って関係の本や資料を仕入れることもありますね。

――実物を見ることのできる展覧会もいろいろと参考になりそうですね。

畠中　はい、展覧会はよく見に行きます。浮世絵もいいし、黄表紙《きびょうし》（草双紙の一種）とかも勉強になります。お話に添えられた挿絵《さしえ》がすごく良くって、当時の暮らしの中の小さな部分が、事細かに描かれているんです。火鉢の大きさとか、湯呑みの置き方とか、食事のときの様子とか、文字情報だけではわからないことも多い。

――『しゃばけ』には、妖がたくさん出てきますけれど、あれはみな、江戸時代に信じられていたものですか？　それとも畠中オリジナルな妖もあったりするんですか？

畠中　ずっと昔からある「付喪《つくも》神《がみ》」は別にして、すべて江戸時代に名前があったものですね。私が『しゃばけ』シリーズを始める時に、江戸に実際いたものにしようという縛りを設けたんです。

――どうしてそんな制約をご自分に？

畠中　昔の人たちは、妖の存在をけっこう本気で信じてたんじゃないかと思ったからなんです。今では山びこ現象は科学的に証明されていますが、江戸では妖の一つと信じられていました。

「大嘘」の周りは「本当」で固める

――他の作品でも、これだけは守ろうみたいなルールはあるんでしょうか？

畠中　先ほど言ったように、嘘は大きいのを一つだけ、と決めています。細かい嘘をいくつもついちゃうと、どうしても緩みが出てくる。時代小説の主人公自体が実在の人物じゃないです。なのに、他のものまで嘘を重ねてしまうと、嘘っぽくなってしまう。あんまり緩くなりすぎると、ご都合主義という怖ろしい批判の元となりますので、そうならないために、大きな嘘の周りはきっちりと本当で固めていく。これが自分に課した縛りになったんだと思います。

――たとえば『猫君《ねこぎみ》』という作品では、二十年生きた猫が変化《へんげ》して猫又《ねこまた》という妖になって登場しますね。

畠中　そうです。あれを書いた時は、猫又という大嘘が一個あるので、なるべく江戸時代に本当にあったこと、起きたことをきっちりと書いていこうと自分に縛りをかけました。江戸城の中に猫又がいるという設定にしたので、江戸城の地図を仕事場の

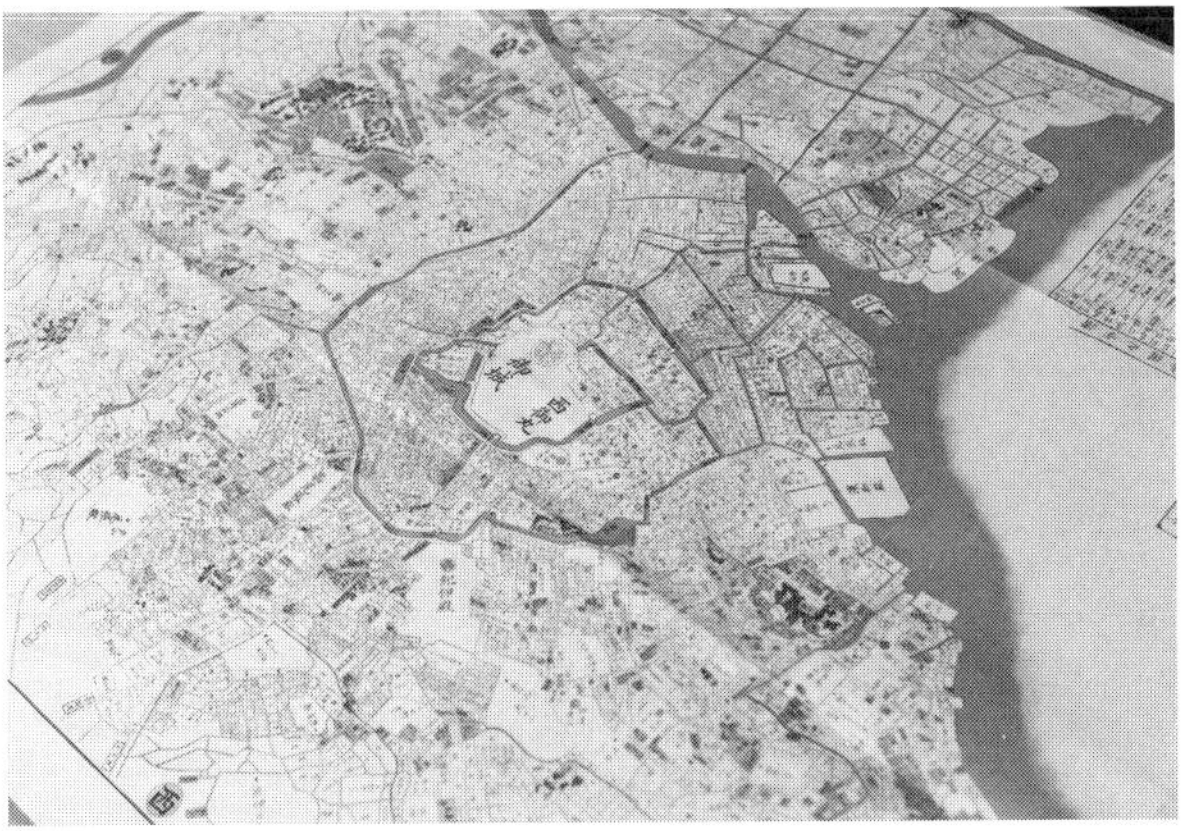

愛用の江戸古地図

壁にベタッと貼って書きましたね。

――地図を見ながら書いていたのですか。

畠中　はい。原稿を書きながら自分の背後に貼り付けた地図を振り返って見て、「あ、今、主人公の猫又はこのお堀を通ってこっちへ行くんだ」って頭で追う。そうやって書いていました。

私、地図がすごく好きなんです。こちらが切絵図と言って、路地や細い川なんかまで出てくるものですね。このぐらい縮尺が大きくなると、拡大される代わりに何枚も必要になりますから、ちょっと使い勝手がよくない面もあるんですが。

――畠中さんは頭の中に江戸を作ってるん

ですね？

畠中　作中の人物が暮らしていける場所を頭の中に描けるようになると、書くときに楽です。書いている当人としてはいろいろ悩みも出てくるんですけど、楽しんでいただくのはやっぱり読者。書き手は困ってなんぼです。読者のためなら頭の中に江戸城も造るし、庶民の住まいだって建てます。

服代はケチっても本代はケチらない

――続いての質問です。

《資料が溜まってくると、保管場所に困ったり、置き場所が分からなくなったりしませんか？》

畠中　うちにはまず、本とか資料を置く専用の部屋がひとつあります。壁に沿って置いた本棚は天井まで届きますね。これは今の家に越すときに作っていただきました。それでも足りなくて、近頃だんだん床の上にまで本が侵食してきちゃって。あと、私の仕事部屋は、机の前と後ろも全部、本棚にしています。こんなに増えるのには訳があるんです。時代物の資料って、けっこう一期《いちご》一会《いちえ》みたいなところが大きく、一度手離したらもう取り返せないことが多いんです。特にムック本みたいな雑誌形式のものは、絶版になってしまったらそれっきり。そうなると困るな、と考えると、つい本代だけはケチらずに買ってしまうんですね。貧乏している時代からずーっとそう。服代ケチっても本代はケチらず、です。

――実際に小説を書いている時間、資料などを調べる時間、展開や構想を練っている時間、比率でいうとどのくらいになりますか？

畠中　比率は考えた事がないんですがやっぱり締切があるので、月末が近くなると書く時間がぐっと上がってくる。でも、書きつづけると、腰が痛くなるので、なるべく午前中は歩いて、歩きながらお話を考えるようにしています。

――最近、皇居（かつての江戸城）の周りをよく歩いているとお聞きしたことがありますが。

畠中　そこを散歩しつつ、「あ、この富士《ふじ》見櫓《みやぐら》の所で猫を遊ばせよう」とか、本丸御殿から二の丸の方に行く道がスロープになってるんですが、「ああ、この坂で人をごろごろ転ばせよう」とか考えるんです。

――お散歩から作品が生まれてくる。

畠中　はい。そこで目にして、ふっと閃《ひらめ》いたことがどんどん広がって、ということはありますね。

短編こそ綿密なプロットをつくる

――『しゃばけ』の舞台は日本橋なんですけど、今の日本橋を見て、往時の面影を残している場所を探し出せるものですか？

畠中　東京は今もけっこう江戸の痕跡が残ってるので、とても有難いですよ。大名屋敷の庭がそのまま公園になっていたり、ここには元は何々様のお屋敷があったなど、説明板に書いてあることが割と多いんです。新宿御苑がそうですよね。信州高遠《たかとお》藩・内藤家の下屋敷があったわけですから。

　そういえば、一番最初に『しゃばけ』を書く時も神田の通りを歩いて、どっちの方向に坂が下っているかを確かめに行った覚えがあります。

——短編と長編ではどんな違いがありますか。

畠中　小説は短くなればなるほど、最初のプロットの段階で詰めておかないと、後が苦しいです。そうしないと、書き終わったと思ったのに、そぎ落としの作業に四苦八苦することになってしまう。その点、長編の方は余裕があるんですよね。

——余裕といいますと？

畠中　会話以外の地の文など、多く書き込めますし、章立ても、割とゆとりをもって組める点が短編とは違いますね。

——たとえば、『しゃばけ』には長いものと短いものとがありますけど、長いものを書いた後に短いものを書くのって、すごく大変じゃありませんか？

畠中　はい。そうなんですよ。その逆もけっこう大変で、長いのと短いのとでは地の文の書き方がかなり違ってきますから。

——それに関連した質問が来ています。

《短編の構成をきっちりと考えていたとしても、どこかで長くなってしまったり、思うように物語が進まなかったりする時はありませんか？》

畠中　最近、それが増えました。書いてる途中で「あ、これ、構成と違う」って気がつく時があります。「月末の締切まであと何日」と頭ではチラついてるのに、「でも、やっぱり違うよね」と、もう一度お話を考え直して書き直したりするんです。あと、六本書き終わって、編集者から「では、そろそろ単行本のことを打ち合わせましょうか」という段になってから、「すいません。最初の一本がどうも違うので、全部書き直します」って言ったことが何回か……。

――えっ、何回かあるんですか？

畠中　はい。最初の一本が特に、考えてたのと違うことが多いですね。ほんと、申し訳ないんですけど。

六年つづいた「う〜ん」

――では次に小説の仕上げ方に話を進めていただけますか。

畠中　そうですね。私の経験では、一度、作品が書きあがった後、けっこう直します。投稿作なら時間に余裕を持って締切のひと月ぐらい前には書き上げて、そこから直していくのがいいんじゃないかな。確か『しゃばけ』のときも、それぐらいのゆとりはあったと思います。本当はもっと前に書き上げるつもりだったんですけれども、ちょっと病気になってしまって、ひと月に満たないぐらいになったんです。

――ひと月以上前に仕上げて、最後の見直しで畠中さんがポイントにしておられるのはどんなことですか？

畠中　「的確」ということをいつも考えていますね。自分が書きたいことがあって、それを読者に伝えるために、この表現は的確なのかどうか、この書き方がベストなのか――これを頭に置いて見直すことにしているんです。的確な表現、的確な文章、主人公の性格・立場の設定は、私の書きたいことに合致しているか……。私の小説のことを読みやすいと言ってくださる方もいらっしゃるんですけど、たぶんそのときは物事を伝えるのに的確な書き方ができたのだろうと思っているんです。

――それは修業のたまものですか？

畠中　修業というよりも、つねにそのことを気にしているからでしょうか。それを気にした文章は伝わりやすいから、読みやすさに繋《つな》がるんじゃないかな、と考えています。

――そうですか。それでは、次の質問にいきましょう。

《デビューされるまでに書かれていた作品数、または応募された作品数は、どのぐらいあったんでしょうか？　そのうち仕上げまで行っていたものはあるんですか？》

畠中　書いた数は覚えてないです。というのも、私、都筑先生のクラスに八年弱行ってまして、先生に褒めていただけたら応募に出そうと思ったら、これが全然褒めていただけない。「う〜ん」ばっかりなんです。どういう意味の「う〜ん」かというと、「これ以上キツいこと言うと、この人辞めちゃうかもしれないから言えないけど、でも、やっぱり良くないよな。う〜ん」というような「う〜ん」がいっぱいありました。だから、投稿はしてなかったですけど作品数はけっこう行ってたんじゃないかな。

――では応募されたのはファンタジーノベル大賞が初めて？

畠中　そうなんです。「う〜ん」が六年ぐらい続いたある日、やっと一作……べた褒めじゃないですよ、ちょっと褒めていただいたんです。「本当かな？」と思ってもう一作提出したら、やっぱり少し褒めてくださって、それが区切りとなって応募作を書くこととなりました。

――それが『しゃばけ』の原型になったわけですね。やはり、デビューまでにはかなりの熟成期間が必要だということですよね。

畠中　いや、スパッと書ける方はそれでいいと思うんですよ。ただ私は、あとになって、あの「う〜ん」の積み重ねが良かったようにも思えます。

一行も書かないのに達成感

――都筑教室の当時は、時代物も現代物もお書きになっていたと思いますが、プロットの立て方は違いがありますか？

畠中　時代物を書くには、その時代を知らなくちゃいけないという所がまずありますね。現代のことは皆さんご承知ですけれど、誰でも知っていることを書くというのも、これまた難しいかなと思います。

――その時代を知る必要があるという点において、実在の人物をモデルにした歴史小説のほうが特に勉強の時間がかかりますよね。『わが殿』（二〇一九）を書くときはいかがでしたか。ここで『わが殿』について説明しますと、幕末の越前大野《えちぜんおおの》藩に実在した家老・内山七郎右衛門《うちやましちろうえもん》が、藩主・土井《どい》利忠《としただ》より藩の財政改革を任され、四歳年下の藩主のために奔走する話です。

畠中　『わが殿』は作品を書いていてすごく面白かったんですよ。資料とか調べるために福井まで出かけたりして。現地の歴史に詳しい方に話を聞いて、自分もその土地を歩いてと、すごく達成感がありました。「やったぁ、できた！」とか思いながら、その時点ではまだ一行たりとも書いてないという……。

――書く前の準備にそうとう時間がかかったでしょうね。その土地のことはその土地に行かなければ分からないですし。

畠中　それはそうです。でもね、これ、注意事項として申し上げるんですけど、取材して充実感や達成感がある一方で、「まだ進んでいない」ってことを肝に銘じないといけません。

――歴史小説では実際の出来事をベースにするわけですけれど、どこまでフィクションの部分を入れていいのか、プロを目指す皆さんが一番悩むところだと思います。

畠中　『わが殿』の中で一番のフィクションは、主人公である内山七郎右衛門の子は奥さん（正妻）が産んだのではなかった――あれは明白な資料がないんです。ただ私としては、年齢、生まれたタイミング、その他を考えあわせると「他に女の人がいたのかな」と思わざるを得なくて、そう思った時点でフィクションとして入れることにしました。

――『わが殿』のように、地方にはまだまだ作品になるような面白い人物がいるように思いますがいかがですか。

畠中　私も内山七郎右衛門のような人物が幕末にいたことを知って、ちょっと興奮しましたね。こういう面白い人物は地方にいっぱいいたと思います。よく知られた人物は、すでにいろいろな作家さんがお書きになっているので、競って書く覚悟が必要です。でも、地方に埋もれた人を「発見」して、自分で開拓して小説にするのはきっと愉しいはずです。

章立ては漫画家時代からのクセ

——畠中さんの場合、短編であっても、全体のタイトルだけでなく章立てをなさいますね。あの章立ての仕方には、何かコツがあるんですか？

畠中　あれはたぶん漫画家時代からのクセですね。私、漫画家としてあまり売れてなかったので、すごく長いページは描かせていただけなかったんです。それで、ポンッと場面を転換したり人物を入れ替えたりして、話を一気に前に進める、ということをよくやったんです。小説の章立ても、それとおなじ感じです。

——漫画の場合は絵で表現できるので、視点となる人物がはっきりしてますよね。一方で小説の場合は、人称によって視点を書き分けなくてはいけないですけれど、小説を書き始めたばかりの頃、そういった点でご苦労とかはなかったですか？

畠中　人称はいろいろありますけど、神の視点はやっぱり難しいです。

——確かに小説で神の視点は、つまりすべてを見通した目線で物語を書く手法は、あまり使われないですね。

畠中　『シャイニング』などで知られるスティーヴン・キングの書くホラーもので

すと、神の視点が使われています。彼はその使い方が本当にうまいですよね。でも、時代物で神の視点を使うのは難しいです。

――時代物に一番適している手法は何でしょうか？

畠中　私がそれに近い文章を必要とするときには、一人称に近い三人称で書いています。これですと、とても書きやすい点があるんですよ。鏡のように、主人公を眺めている視点があると、話を展開させるのも楽なところがあります。

ただ、私の場合は連作短編のシリーズが多いので、どうしても主人公の視点がメインになっていきますね。主人公の魅力的なキャラが立っていて、それだけで一話分もってくれることがベストなんです。ただ、あまりにもキャラが立ちすぎると、連作として引っぱられてしまうという時もあります。

主人公はハンサムでなくても

――魅力的な主人公の書き方、あるいは、過去の他の方の小説で、見本にしたい主人公はいますか？

畠中　いろんな方が魅力的な主人公を書いていますが、現代物だと、三浦しをん先生の『風が強く吹いている』を挙げたいですね。あの主人公と九人の仲間の登場のさせ方なんか、うまいな～と思います。

――現代物！　意外ですね。『風が強く吹いている』は、箱根駅伝を目指す主人公が仲間と十人で襷《たすき》をつなぐ話です。

畠中　そうですね。それから何度もお名前を出していますが、宮部みゆきさんの登場人物は、学ぶ所が多いです。

尖った性格でない登場人物でも、とても印象深く、記憶に残ります。時代小説は、シリーズ物になることも多い分野です。様々な登場人物を、そんな風に魅力的に書ければ、連作の力になってくれる事と思います。

――『しゃばけ』の主人公も『まんまこと』の主人公も、際立って強くはないですものね。特に『まんまこと』の麻之助さんなんか喧嘩はめっぽう強いけれど、おとぼけというキャラクターです。こういった人物の外見はどのように作っていくんでしょうか？

畠中　ハンサムな主人公を好む読者も多そうですけど、そこはあまり重視しません。脇役をハンサムにすることもできるので。基本的に、見た目については気軽に考えています。いろんな作品を書くと、いろんな主人公を立てなくてはいけませんから、見た目はそれぞれでいいかなと。

小説では、住んでいる場所、暮らしている家について考えることも大事です。『まんまこと』シリーズですと、町名主さんの家について詳しく調べてイメージを作りました。細かい資料がいくらでもあって、町名主がもたれていた柱のことを記した資料もあるんですよ。住んでいた家については、町名主さんがどのぐらいの広さの部屋に住んでいたかは、その地位や立場によって自ずと決まってくるんですね。

そういえば、『まんまこと』シリーズでは、相馬《そうま》吉五郎《きちごろう》の出世と転居について書いたことがあるんです。

――麻之助さんの幼馴染で、最初は同心《どうしん》（奉行所の下級の役人）見習いだった吉五郎のことですね。

畠中　相馬家が、同心から与力になるのですが、そこで、同心や与力の自宅はどういうものだったか改めて調べ直してみると、面白いことがわかりました。同心は給金が安いから、家を他人に貸していました。その事実は以前から知っていたのですが、資料を丁寧に見ていると、同心は自分の家の細長い敷地の両端を他人に貸して住まわせたりしているんです。肝心の本人はその真ん中に住んでいた。なぜなんだろうと思って、さらに調べてみたところ、端っこの方の家は高い家賃で人に貸せるからなんだそうです。

　与力クラスになっても同じでせっせと家を貸しています。与力も身分が上の方に行くと内職が禁止だったりするんですけど、けっこう皆さん家を貸して、家賃収入を得ていましたね。侍って常に実入りが少なくカツカツで、むしろ町人の方が暮らしやすいイメージがあります。ところが、同心や与力たちもいろいろ収入について考えていてたくましい！　と、その時に改めて思いました。

パーティーでの再会のために

――新人賞の応募作品に何を期待されるか、こんなものを書けたらいいんじゃないかな、みたいなアドバイスはありますか？

畠中　作品のテーマへの期待じゃないんですけど、作家になりたいという人は、多かれ少なかれ、新人でデビューした後もずっと売れて生き残って、出版パーティーか何かで旧知の人に出会って「お〜っ！」みたいなことをしてみたい、そういう希望があると思うんです。気力はすごく大事です。読んで面白いのはもちろんだけど、続けられる面白さ、読後も惹《ひ》きつけられる何か光るものを作品に望みたいですね。

――私からの希望も加えさせてもらいますと、発想は自由であってほしいなと思います。畠中さんが『しゃばけ』で妖を出したように、そういった自由な発想は小説だからこそ許されると思うんです。

畠中　それまでには無かった発想でもって「私はこの道を切り開いた」という方が出てきてもいいんじゃないでしょうか。あ、そうだ。私から文春さんにお訊きしておきたかったことがあるんですけど、よろしいでしょうか？

――はい、もちろん大丈夫です。

畠中　どんな賞でもいいんですけど、応募作品を選考する場合、どういう基準でもって一次、二次、最終という具合に選んで、私たち選考委員のところに回ってくるのか、前からとっても興味があるんです。

――畠中さんに読んでいただくのは最終候補ですので、六作ないし五作ということになるんですが、仮にオール讀物新人賞の場合ですと千ほど応募がありました。その中で、どういう所を見てるのかというと、まず目につくのは文章のバランスです。こと歴史時代小説の新人賞の場合、会話だけの小説は難しい。だから地の文と会話文とのバランスを見ます。

もう一つ、テーマ性も判断の基準になります。必ずしも今流行《はや》っているかどうかでなく、普遍性があるかどうか。例えば、あやかしは時代が生み出したものであっても、妖にも感情があり、その感情に普遍性があるか、といったことですね。

さらに文章も基準の一つです。これを表現するのにこの文章が的確か。文体はどうか。そうして最終候補に落とし込んでいく、ということになります。

デビュー後の販促活動

畠中　私からお話ししておきたいことは、受賞後のことなんです。ここまで、応募するまでの準備とか書き方とか語ってきましたけど、でも、受賞したばかりの新人の話って、あんまり出ないですよね。

私の場合、ファンタジーノベルでデビューしたとはいえ、大賞ではなく優秀賞だったので、私への期待度は今ひとつ。すぐに次のお仕事が来るってこともなかったし、受賞第一作は「小説新潮」に書かせていただきましたが、その後、担当さんがついて「ビシビシ鍛える！」みたいな感じでもなかったですね。その時私はどうしたか――。

一銭にもならないけれど、自分でせっせと書いて担当者に「読んでください」って預けてたんです。ところが、一本書いても二本書いても、評は言ってくださるけれども掲載のケの字もない。で、それが六本溜まった時に、担当者の方が企画会議のような場で「六本溜まりましたから一冊になります」と提示してくださったんです。それが『しゃばけ』シリーズ二冊目の『ぬしさまへ』（二〇〇三）になりました。すごく嬉しかった記憶があります。

デビューしたからといって、必ず出版社がプッシュしてくださるわけじゃないんです。そのときは自分から動いてみる、という手もあることをお伝えしておきたいなと思いまして。

――あの本は畠中さんが一人で準備をされてたわけですか？

畠中　そうなんです。収録されている四十枚の短編だけが雑誌に載りました。まったく声がかからないので、自分でせっせと書いて、売り込んでいました。

お話作りの訓練

畠中　私の場合、漫画家の時代から、話をどんどん作る訓練はやっていたと思います。名刺の大きさの紙に題材を書いて、それを箱に入れておく。そしてその中から三つ、適当に選んでお話を作るんですよ。二十分ぐらいで一本。それを一日に四本ぐらい作っていくと、話を作る練習になりました。そういう訓練を積むうちに、話が作れるようになるので、詰まらずには済むかなと感じています。

――そんなお話作りをされていたということは、その頃から小説家志望だったのですか？

畠中　漫画家になりたいと思ったのは高校とか短大とかで、十九歳の時に初めて投稿して落ちまくりました。ただお話作りは続けてましたし、プロの漫画家になってからも作りまくってましたね。なんでかというと、その時の編集さんは、一話だけプロットを書いて持っていっても企画を通してくれない。最低でも二話ないと、編集さんのＯＫをもらえなかったんです。そうすると、月に二本の注文があるときは四本プロットが必要になる。そうやって、いつの間にか話を書く訓練はできていたかな、と思います。

――畠中さんは作家修業が八年近くとお聞きしましたけど、その前の漫画家時代にも、お話を作る修業が十年ぐらいあったわけですか。

畠中　計算するとそうなりますね。どのお話も傑作である必要はないんです。まずはどんどん作ってみるのがいいかな。特に時代物は連作になって続くことが多いので、そのための訓練には良かったかも知れないです。

――現在は時代物に軸足をおかれているけれども、ミステリーあり、歴史物もありと幅広く執筆されています。これからはどういう風なものをお書きになりたいですか？

畠中　もう一作、「これは」と思える人物に出会って、歴史物をまた書いてみたい気はしているんです。そんな人物を探すのは大変なんですけど、やっぱり時代物は「人」ですからね。あと、時代物は本数が増えてきたので、これからは構成を変えるなど、いろんなチャレンジをやっていかなきゃ、と思っています。

間に合わないけど、間に合わせる

――ここからは、質問タイムに参りましょう。

《畠中さんはデビュー前、一日の執筆時間はどれくらいでしたか？》

畠中　作家デビューしてからも半年ぐらいは漫画を描いてましたので、小説にはどれぐらいの時間をかけてたんだろう……。デビュー三年目以降は、一年に三冊のペースがほぼ変わらないです。

――それは単行本の数で、それと同じだけ文庫本が出ているってことですね。

畠中　はい。執筆の作業に加えてゲラのチェック作業も入ってきます、単行本と文庫本のゲラが。けっこう忙しいです。デビュー前のほうが忙しいと思われるかもしれないけど、けっしてそうではなかったですね。

――では、次の質問です。

《全然書けなくて困ったという経験はありますか？　もしあったとしたら、そういう時の解決策を教えてください》

畠中　書けなくてというより、書いていて「あ、これダメだ！　書き直しだ」と思ったことは山のようにあります。そんな時は締切に間に合うように神様に祈るんですけど、もうほんとに間に合わない時は、とにかく書いた原稿を送り、あとで本になる時、編集さんに「すいません。直します」って謝ります。

――新人賞の締切に間に合わない時どうすればいいでしょうか。

畠中　間に合わないけど間に合わせる……こういう訓練もいるんじゃないかな。プロになって、締切に間に合わないのは、拙《まず》いです。

――例えば、気分を変えるためにすることは何ですか。

畠中　散歩はよくします。ずーっと書いてると腰とか背中に来るので、散歩はその意味でもいいですね。

――何時間ぐらい歩かれるんですか？

畠中　四～五キロ、一時間ぐらいかな。それでも話が浮かんでこなくて十キロぐらい歩いたこともありますよ。

――あるミステリー作家の方が、川越から池袋まで歩いたって聞いたことがあります。直線距離でも三十キロはありそうですけど、歩くと血の巡りが良くなってストーリーが浮かんでくるって仰《おつしや》ってました。

畠中　私も、歩くと脳みそがよく動くという噂を信じて、必死に歩いてます。

実在の人物か、架空の人物か

――《完全に架空の人物を設定して書くのと、実在の人物を基《もと》にして書くのと、新人賞で有利なのはどっちですか？》

畠中　読んだ時の面白さでいえば、どちらの設定にもそれぞれ有利な点、不利な点はあるでしょう。よくは分からないですけど、どっちが有利とかは言えないんじゃないかな。

徳川家康とか織田信長とか豊臣秀吉を八十枚で、とか言われたら難しいですよね。実在の人物については読者がすでにある程度知っていて、イメージがついてしまっている。それを承知で書かなきゃいけないという危険性があると思います。

――有名な人物の場合、人生のどの一場面を切り取っているのか、もしくは、すでに知られた話をうまくひっくり返せているかどうかということですか。

畠中　もう十五年くらい前ですが、信長を主人公にして、おもしろい使い方をされたのが佐藤賢一さんです。タイトルは『女信長』。父親に能力を見込まれたがゆえに、男として育てられた女性という設定でした。

――もし、畠中さんが戦国武将を書くとしたら誰を選びますか。

畠中　好きなのは超ベタですけど織田信長様。でもあの方を書くのはちょっとキツいかな。

――《仕上げの段階に入って、誤字脱字の発見とかの推敲《すいこう》の方法はどうやっておられますか？　熟読するしかないのでしょうか？》

畠中　やっぱり何回も目を通すということですかね。それと、私は必ずプリントアウトしています。パソコンの中で書き直して、プリントアウトしたものをまた読んで書き込みをして、それをまたパソコンに戻して書き直して……都合四回ぐらいは書き直していると思います。プリントアウトは一回だけですけど、こうして何回も書き直すと間違いは見えてきます。

――パソコンの画面で書くよりも、プリントアウトしたものに手を動かして書くことは、けっこう重要なんでしょうか？

畠中　パソコンで書いた後、プリントアウトして原稿をチェックすると、目先が変わるからか、見落としを見つけられることが良くあります。また、紙媒体で発表される作品は、印刷された形で、目を通しておきたいと思っています。

悩んだ末の「なんちゃって方言」

――こんな質問が来ています。

《例えば町名主の役割を文献で調べたとして、その文献に記された説明文をどう小説

に置き換えたらいいのですか？》

畠中　ああ、それはエピソードとして書いちゃうんです。「町名主はこれこれこういう仕事をしなければならない」という説明文があったとして、登場人物の誰かに「町名主はな、喧嘩の仲裁に入ったり迷子の世話をしたりもしなきゃいけないから大変だよ」と愚痴をいわせるとかですね。その説明文を活かすためのエピソードを作ってしまうわけです。

――つまり、説明すべきことを会話やエピソードに落とし込むわけですか？

畠中　はい。そうすると話も進むし具体的になる。

――《会話のリズムはどうやって掴んでいくんですか？》

畠中　私は、会話の文章はあんまり長い一文にはしません。実際に話すときって、長ゼリフなんて滅多にないですよね。長く喋らせるとしても、一文一文は短くして、それを繋げる。あるいは途中にト書きのようなものを挿入して、長いセリフはなるべく避けるようにしています。要は、話者が実際に話すように話させるということなんです。

――《コンプライアンス的に現代では使えない差別語などの語句は、どのように対処されていますか？》

畠中　時代物の場合、それは非常に難しい問題ですね。実は結構あるんです、引っかかる用語が。江戸時代では人を貶《おとし》める言い方でも何でもなかったのに、今は相応《ふさわ》しいものではなく使えないものが。そういうのは私の場合、丸ごと回避してるかな。

――時代小説の場合、身分による話し言葉の違いも、現代より大きかったのではないでしょうか。

畠中　身分による違いに限らず、話し言葉を落とし込むのは難しいですね。違いを明確にしようとすると、かえって言いたいことが伝わらなくなる。時代が明治だとすると、西から多くの人が東京に流入してきますよね。そこで、いろんなお国言葉の違いを作品のなかで書き分けてみたんです。熊本の方言とかの資料も買い集めてずいぶん研究しました。実際に書き終えて「やった〜できた！」と原稿を読み返してみたら、自分がいま書いた会話の意味が分からない（笑）。もう泣けてきましたね。

で、どうすればいいかと思い悩んだ末の結論は「なんちゃって方言」。語尾だけとか特徴的な単語だけを方言で書き表す「方言もどきの方言」になりました。これには批判する人もいるだろうなと思ったんですけど、でも、お国言葉にしても江戸の武家言葉にしても、とにかく読者に伝わらないと始まらないので。結局は、そういう話し言葉にしてしまった自分が、どこまでその責任を引き受けるかということでしょうか。話し言葉はほんと難しいです。

歴史時代小説の範囲はどこまで？

――宮部みゆきさんから江戸時代のお話に「事故」という単語をそのまま使っていいのかどうか悩むという話をうかがったことがあります。

畠中　私も同じように迷ったことがあります。それで迷ったときは毎回辞書を引くことにしています。紙の辞書だけでなく、ウェブサイトに「ジャパンナレッジ」というろいろな辞書が引けるサイトがあるんですけど、そういったものも利用しています。でも、たまに調べ損なって、「こんな言葉書いちゃってるよ」とネットに書かれたりして、「シマッタ！」と思ったこともありますね。

――「頭痛」なんて割と最近の言葉かと思ったら、室町や戦国時代より昔からあったりして。日本語って難しいですよね、本当に。

畠中　そう。仏教用語から来た言葉などもけっこう古くからあるんですね。

――《時代小説や歴史小説の範囲って、どこまでなんですか？　明治以前が境なのか、それとも戦前ぐらいまでをいうのでしょうか》

畠中　私は明治時代は範囲に入れてますね。ただ、明治のことを書くのは怖いですよ。明治時代の資料は、それ以前の時代と比較して厖大《ぼうだい》に残っています。資料はあればあるほど良いかというと、とんでもない。ある人物が振り向いたときに見えたものが駕籠《かご》なのか、人力車なのか、それとも馬車なのか、はたまた電車なのか。明治という時代はどんどん変わるので、時代考証が要求されるわけです。

――現代に近づけば近づくほど大変に？

畠中　そうですね。ついこの間まで家に黒電話があったのに、今や一人一台はスマホを持っています。技術が一気に進む時代ほど、より時代考証を学ばねばならない気がします。

何が起きているかを的確に

――小説の冒頭の「摑《つか》み」に関して、こんな質問が寄せられています。

《一次審査を突破するためにも、冒頭から数ページで魅力を出す必要があるように思うんですが、どうすればいいですか？》

畠中　最初の一ページぐらいで、一体何が起きているのか丸っきり分からないと困りますよね。いつ、どこで、誰が、何をしているか読者に伝わらないと、その小説を買ってもらえない気がします。的確に伝えるには、とにかく何回も何回も書き直してみることです。自分が『しゃばけ』を書いた時はそうしました。

――その「いつ」は西暦とかの年号のことではないですね？

畠中　年号とかそういう意味ではないです。『しゃばけ』だったら「暗い中」という表現で「とっぷり暮れた刻限」を表しました。

――長編の歴史時代物の応募作を読むと、西暦とか年号とかで始めるものが多いんですね。あれは退屈な気がする。もちろん西暦や年号は書くなということではなく、十年の時が経過したなら、それを登場人物の変わりようとか社会の変わりようで書き表すほうがいいのでは、などと考えちゃうんです。

畠中　難しいですね。私が自分の作品に西暦を入れないのには、別の理由もありまして。江戸の人たちは西暦って知らなかっただろうなと思うと、どうしても入れられなくて。ただ、西暦で記したほうが読者に分かりやすい気もするし、これはずっと私にとっても悩みですね。

私が書きたいのは「人」

——《今で言う個人主義のような考え方は、江戸の価値観にはなかったかもしれないし、逆に江戸にあっても現代にはない価値観もあると思いますが、そんな感覚の違いは、どうやって折り合いをつけていけばいいのでしょうか？》

畠中　でも、価値観の違いは、けっこう面白いかもしれないですよ。私も現代ならいてもおかしくない人物を江戸に放り込んで、そこで事件とか葛藤とかを起こしてみようとしたことはあります。サイコキラーみたいな理由で人を殺した人物が登場して、自分が殺されるのは嫌だけど人を殺していけないという理由は分からないという設定にしました。江戸ものではちょっと異色の設定です。その異色さが葛藤を生んで話が転がっていくようにしました。

――《先生が書きたいものは「感情」ですか、「場面」ですか、それとも「価値観」ですか？》

畠中　「人」がうまく書ければ「感情」や「場面」も書けそうです。人を表現するためには、面白いエピソードを書くのも必要だし、場面を書くのも必要ですよね。そうやって人間がうまく書ければとても嬉しいです。「人」や「場」が物語をつむぎ、面白く興味深いストーリーを作ってくれればと思います。

読者に買ってもらうには

畠中　大事なことだと思うので、もう一度繰り返します。皆さんが今気にしているのは「賞がとれるかどうか」だと思いますけど、私としては、もう少し先までを目指してほしい。この段階で「食べられる作家」を目指してほしいのです。目標を新人賞獲得に置いてしまうと、もしとれたとして、そこで気が抜けてしまうでしょう。賞をとった時はギアを入れ直す時なんです。食べられる作家になるのを最初の目標というぐらいに考えていただくといいと思います。

――新人賞はあくまで出発点、あるいは通過点なんですね。

畠中　はい。賞をとるにはどうしたらいいかではなく、読者さんに買ってもらうにはどうしたらいいか、という視点を考えてほしい。そうすれば、一冊のみ書けても困るという結論が出るのではないかと思います。

――かなりストレートな質問が来ています。

《食べられる作家になる方法を教えてください》

畠中　食べられる作家、すなわち読者さんに買ってもらえる作家、ということですね。これは難しいですよ。そういう作家になるためには、書きたいことが読者に確実に伝えられること、読者さんに届いて面白いと思ってもらえること、それが大前提ではないでしょうか。

――《書く前は面白いと思っても、いざ書き出したらつまらなくなったり、自分で

は展開が分かっているから書くのに飽きてしまったり、そのようなことはありますか？》

畠中　面白いか面白くないかが分からなくなるのは、しょっちゅうありますね。とくに、原稿を何回も読み返してると、どちらか分からなくなる。そんなとき、読者からのお手紙はものすごく励みになりますね。「ああ、面白がって読んでくださった方がいたんだ」と思うと、心底嬉しいです。

――都筑先生の「う～ん」が六年続いたあとの「ちょっと褒め」も、すごく励みになりましたか？

畠中　励みといいますか、転機になりました。投稿時代は先生以外に作品は見せなかったので。

――いま振り返ると、見せておけばよかったなと思われます？

畠中　いや、見せなかった理由ははっきりしてるんです。漫画家志望の時代は仲間と見せっこしてたんですよ。漫画ってすぐ読めるし、しかも、仕事がうまくいかなきゃいかないほど、周りの意見を聞きたくなるんですね。

ところが、そうやって見せ合っているうちに、描けなくなった人を何人か知ったんですよ。仲間から見せられると、皆さん誠実に「自分はこう思う」って意見を伝えるでしょ。良い評価も悪い評価も。でも、意見を言う人はそれぞれ立場が違うから、判断の基準もさまざまなんですね。そこで意見を聞いたほうはグラグラ揺れてしまって、とうとう描けなくなる事もあったわけです。それを悟った私は、以後、都筑先生が「こういう風に書きなさい」と仰ったことだけを柱にして書いていました。

――作品を読んでくださった都筑先生も亡くなられて、今は自分で自分の作品の良し悪しを判断しなくてはいけないわけですね。

畠中　いいえ、今は編集者が読んでくれますよ。「面白い？」「これで大丈夫？」って訊ねながら担当さんと二人三脚ですね。

――『まんまこと』以来十年近く畠中さんとお仕事をさせてもらってますけど、いつも展開が読めずにいるんです。だいたい麻之助の最初の奥さんが子どもを産んであんなに早く死んでしまうなんて……。もうあの時から驚きですものね。主要人物をいきなり死なせてしまうのって、なかなか大胆な展開でしたので。

畠中　江戸時代なら出産で母子が死ぬことって、現代に比べて、とても多かったんです。それを一度は書いておかなくちゃいけないエピソードかなと思って書いたところ、けっこう驚かれました。

とにかく書いてみる

――「食べられる作家になる」ということと関連してくると思いますが、新人賞をとってから飛躍する人としない人の差は、どこにあるのか聞かせていただけますか？

畠中　それは、新人賞をとったからといって、そこで立ち止まらないようにしてください、とお伝えするしかないです。私の場合、賞をとってから二冊目が出たのは、一年半ぐらい後でした。それでも、けっこう早い方かなという気はしましたけれど。今は小説を書いて発表するだけであれば、ネットもありますし、ずいぶん楽な時代になりました。けれども、今日私の話を聞いてくださっている皆さんは、小説を載せるだけじゃなくて、プロになるのが目標ですよね。でしたら、賞をとって留まることなく、辛抱強く頑張っていきましょう。

――最後に作家になりたい皆さんにメッセージをお願いします。

畠中　これから、皆さんが楽しい話を書いてくださるのを、たくさんの読者さんが待っていると思います。新しい書き手は常に求められています。ですので、書き方が分からない、なんて言わず、とにかく書いちゃいましょう。私もその作品の読者の一人として待っています。

門井慶喜

門井慶喜の五箇条

- ◇図書館をとことん使う
- ◇調べた情報をエクセルに書き込む
- ◇資料は読破しなくてもいい
- ◇文章は「素早く分かる」ものにする
- ◇推敲は裏切らない

門井慶喜（かどい　よしのぶ）一九七一年、群馬県生まれ。同志社大学を卒業後、二〇〇三年「キッドナッパーズ」にてオール讀物推理小説新人賞受賞。一五年『東京帝大叡古教授』、一六年『家康、江戸を建てる』で直木賞候補に。そして一八年『銀河鉄道の父』で直木賞を受賞した。評論部門でも活躍し、一六年『マジカル・ヒストリー・ツアー　ミステリと美術で読む近代』で日本推理作家協会賞も受賞している。また、『屋根をかける人』『東京、はじまる』『地中の星』など、多くの近代建築関係の著書もある。

――まず、門井さんのデビューまでの道のりについてお聞きしたいのですけど、何歳ぐらいから作家を目指されていたんでしょうか？

門井　子供のころからハッキリと目指そうと思ったことはないんです。小説は好きだったので、作家への漠然とした憧れはありましたね。意識したのは大学生の時かな。四回生にもなりますと、周りはみんな就職活動に入ります。僕もちょっと就活はしましたけれども、そのうちだんだん冷めてきてしまった。

――それはどうしてですか？

門井　周りはどんどん就職が決まっていく。日頃から「世の中には一生反抗しまくってやるぜ」などと粋《いき》がっていた人が、急に公務員試験を受けたりして、就職先を決めていくわけです。転進がうまい。そういう姿を目にするうちに、なんとなく「自分は作家になりたい、なれるんじゃないか」と思いはじめて、就活はほどほどにして下宿で本を読んでいました。読むほどに作家への意識が固まっていきました。ただ単に転進が下手だっただけかもしれません。

就職してから作家の道に

――そうはいっても一旦《いったん》は就職されていますね。

門井　はい。実家が栃木県の宇都宮にありまして近くの大学の職員をしていました。六年半ぐらい勤めましたかね。

――最初に小説を書き始めたのはいつ頃ですか？

門井　たぶん、就職して二年目か三年目ぐらいだったと思います。「作家になる」という確信はあっても、現実的には作家ではない。ひょっとしたら、原稿というものを書かなければ作家になれないいんじゃないか――そう気がつき始めたわけです。それで書き始めたわけですから、習作なんか書きませんでした。最初から新人賞狙いです。

――その狙いすました作品の一つがオール讀物推理小説新人賞で最終候補になったミステリー小説「天才たちの値段」です。

門井　「最終候補に残りました」という電話をもらって、嬉しかったですね。

――当時の門井さんは、泉慶一というペンネームを使っていました。ペンネームの由来はなんでしょうか？

門井　明治時代の作家泉鏡花《いずみきょうか》が大好きでして、その一文字を借りました。慶は本名の門井慶喜からです。それとほら、本屋さんで、文庫本なんかを著者名のアイウエオ順に並べるところがあるでしょう。イで始まる名字なら前のほうに出られるなとか、そんな邪心もあったようです。

――最初の投票では「天才たちの値段」に二重丸がいちばん多かった。にもかかわらず、選考委員の一人が、トリックの欠陥を指摘されたそうです。

門井　高橋克彦《たかはしかつひこ》さんですね。よく覚えております。「オール讀物」の編集者から電話がかかってきて「落ちました」、「理由はこうでこうで……」という話を聞きながら、言葉を呑みました。自分も気がついていないトリックの欠陥で、ただただ黙っていた記憶があります。もっとも落ちた理由が明快なので、「仕方がないな」と頭を切り替えることもできましたが。

――落ちはしたけれども最終候補に残ったことで、門井さんは勤めを辞めてしまったそうですね。

門井　最終選考に落ちて半年ぐらいしたところに、僕が受け持っていた仕事が一段落つきました。そのタイミングで仕事を辞めました。作家を目指してる皆さんはこれを聞いて「よし、私も仕事辞めちゃおう」とか考えないでください。早い話が、僕は勘違いしたわけです。最初期に書いたもので最終候補まで行ったものだから、すぐに賞をとれるものだと勘違いして。そこから苦悩の歳月が始まるわけです。

暇ではなかった苦難の三年余り

――その時すでにご家族もいらっしゃったんですね？

門井　結婚して奥さんと二人暮らしでしたけど、その苦難の三年余りのあいだに長男が生まれているんです。本当に、真似しないでくださいとしか言いようがないですよね。まあ作家になるにはそういう時期もあると思って、あらかじめ給料は少し貯めてあったんですが。

――門井さんの場合はそこからデビューするまで、文章のトレーニングはどうされていました？

門井　トレーニングというほどではありませんが、目的のない文章は書かない、とは決めてました。書くなら必ず応募するため。練習のための練習はしない。実際の生活は非常に地味でした。ひたすら書き、ひたすら読んでいただけです。一日中家にこもりっきりだけど、「次はこれに応募しよう。そのためにはこの資料を読もう」とか、「評判の小説が出たから読んでおこう」とか、わりと暇ではなかった記憶がありますね。

――ずいぶんと図書館にも通ったそうですね。

門井　僕が住んでいた宇都宮市に大きな図書館が二つありました。宇都宮市立中央図書館と栃木県立図書館です。これは幸運でした。特に県立の方には古い本もあり、レファレンスが充実していて、調べものがしやすかった。家で小説を書いている途中で疑問にぶち当たると、それをメモしておいて、そのメモが溜まったら調べに行く、これを繰り返していました。小説の本を借りたりはしませんでした。もっぱらレファレンスが目当てでしたね。

――当時はどんな傾向のものを書かれていましたか？

門井　トリックの欠陥のために落とされた小説は美術ミステリーで、ボッティチェッリの絵画を扱ったものでした。ボッティチェッリは、ルネサンス時代のイタリアの画家ですから、西洋史ものという側面もありました。そういう意味では、歴史小説そのものではないけれども歴史的な小説といえるかもしれないですね。他にも美術とは関係ないシェイクスピアが主人公のファンタジーを書いて、新潮社のファンタジーノベル大賞に応募してもいましたから（二〇二一年単行本化され『ロミオとジュリエットと三人の魔女』として講談社から刊行）、執筆のジャンルは様々でした。まあシェイクスピアも西洋史かな。それから、オール讀物新人賞にも一回応募して最終候補に残ってるんです。これは賞の名前に「推理小説」のつかない、普通の短編小説ですね。当時はふたつ賞があったんです。

四回目の候補作で新人賞に

――四回目の候補作「キッドナッパーズ」でオール讀物推理小説新人賞を取ります。最初に候補に挙がってから、三年の歳月が経っていました。のちに高橋克彦さんは、この人は才能のある方だから、一回目で軽々と受賞させてしまっては伸びないんじゃないかと思った、と述懐してらっしゃいますが――。

門井　（笑いながら）正直に言いますと、一回目にとらせてくれた方が良かった、当時もそう思ってましたね。ただ振り返ってみると、仮に一回目で受賞したとすると、僕は人生で三年ほど得をしたことになるけれど、受賞後に本を出してすぐ世間に認めてもらえたかどうか……。結局は変わらないんじゃないかと思います。早くデビューしたからといって、僕の創作技術までもが三年分早く進むわけではないですから。

――それに関連する質問が来ています。

《三年の間に何作ぐらい作品を書き、何回ぐらい賞に応募されたんでしょうか？》

門井　ああ、古傷をえぐるなかなか良い質問です。応募の方は、他社も含めて六回最終候補に残って、全部落っこちていますから、七回目での受賞だったと思います。さすがに何度も落ちるから自信がなくなっていて、自分のことを「ミスターファイナリスト」という風に自虐的な呼び方をしておりました。

――最終候補にも残らないこともあったんですか？

門井　一、二回ありました、長編で。それでも最終候補の一歩手前――三次選考っていうのかな、そこまでは必ず行ってたと思います。

――二〇一八年から門井さんご自身がオール讀物新人賞の選考委員をお務めになっていますが、最終候補まで残る作品に何か顕著な特徴はありますか？

門井　共通して言えるのは、すでにプロ意識があることだと思うんですね。初めのうちは僕もそうだったけれども、おずおずというか、「自分なんかが小説を書いていいんだろうか」っていう姿勢です。それがどこか文章に出ちゃう。ところが最終候補に残るようなのは「自分はプロなんだ、小説にかけちゃ素人じゃないんだ」というような自信が感じられます。悪い言葉でいえば勘違いなのでしょうが、良い勘違いの場合にはストーリーの柄も大きくなるし、内容も読者に伝わりやすくなるような気がします。ひとことで言うと堂々としてる。

「慶喜」という名の呪縛

――では、門井さんのデビュー後のことをお聞きしたいと思います。今回は歴史小説、時代小説の書き方講座ですので、初めて書いた歴史物である『シュンスケ！』

（二〇一三）の話をお願いします。この作品は、初代内閣総理大臣となった伊藤博文（俊輔《しゅんすけ》）の若き日々を描いたものです。歴史物へのシフトはデビュー当時からの考えだったのですか？

門井　その気持ちは無かったというか、希薄だったというか。むしろ、歴史ものは避けていたんじゃないかな。ごくごく個人的な話なんですけど、「門井慶喜」は本名でして……。

――徳川幕府の第十五代将軍と同じ名前ですね。

門井　徳川慶喜は、非常に微妙な人物じゃないですか。坂本龍馬とか織田信長みたいに誰が見てもヒーローだとわかる人ではない。毀誉褒貶《きよほうへん》が激しくて、「徳川十五代でも最高の知性」だと言う人もいれば、「ああ、鳥羽伏見の戦いのあと大坂城から逃げ出した人ね」と言う人もいる。そんな名前を貰《もら》った僕としては、歴史というものに対してシニカルと言いますか、ちょっと斜に構えていた時期があったんです。僕が新人賞に応募していた時期は、まだ「歴史嫌い病」が治ってませんでした。そのせいでストレートな歴史ものを書くことを避けてたんだと思います。

——ただ、同志社大学では史学科だったんですね。

門井　ほんとそうですよね。正確には文学部文化学科文化史学専攻（当時）っていう長い名前のところですけど、そこで僕、歴史を勉強したはずなんですよねえ。受験生だった十八の頃は、どの大学を受けるにしてもみな史学科を志望してましたから、歴史を学ぼうという意志があったんだと思いますが……。ややこしい自意識ですね。

——大学ではどの時代を中心に勉強されたんですか？

門井　実は卒論は幕末をテーマに書きました。会津藩主の松平容保《まつだいらかたもり》が京都守護職の役に就いて京の都の警護をする。ところが、巷《ちまた》に跋扈《ばっこ》する浪士たちが「足利三代木像梟首《きょうしゅ》事件」を起こしてしまう。等持院《とうじいん》というお寺に安置されていた尊氏・義詮《よしあきら》・義満の足利三代の木像、その木像の首だけを持ち出して三条河原に晒《さら》す、という事件が起きたんですね。

——源氏の足利尊氏らを逆賊扱いすることで、源氏の子孫を名乗る徳川氏に反抗した事件ですね。

門井　そうです。徳川幕府は、事件を討幕運動の一環とみなして実行犯の浪士たちへの厳罰を命じたんです。僕は、京都の治安維持の責任者である松平容保と、事件を起こした浪士たちの動きを追っかけて五十枚の卒論にしたんです。たしか徳川慶喜もチョイ役で出てた。

――すると大学での卒論は、歴史時代小説を書くときに役立ったということでしょうか。そもそも大学で歴史を専門に勉強してないと書けないものなのでしょうか?

門井 僕は、史学科でちゃんと勉強しなかったタイプですので、むしろ、勉強していなくても歴史小説は書けるという証明にはなると思います。実際、大学での勉強は必ずしも必要ではない。もちろん時代物を書くために資料を読むことはあるんですけれども、その際に大切なのは、細かい所に目が届くこと。歴史の流れを大づかみに汲み取るのも必要ですけれども、小説を書くとなったら、一言一句に目が届くことが大事なんですね。

だけど、これって歴史学の勉強をしないと身につかない能力ではないですよね。経済学部なら、経済誌を細部まで読むのと変わりないと思うんです。もっといえば、そういう能力は大学でなくて、いつでも習得できると思いますよ。

ミステリーと歴史小説の違い

――いざ、『シュンスケ！』を書き始めると、それまでお書きになっていた現代物と大きく違いましたか？　それとも手法に違いはなかったですか？

門井　非常に大きな違いがありました。それは、現地に行くってことなんです。それまでの例えば美術ミステリーなら、あくまでも現代物ですから、いま我々が生きている現代社会の中で美術品をどう転がしていくかが大事になる。必ずしもその美術品なり画家なりが生まれた故郷を訪ねる必要はなく、極端に言うと、部屋の中で考えを組み立てればできたりするものです。

――なるほど、アームチェア・ディテクティブ（現場捜査をしない探偵）というわけですか。

門井　そうですね。ところが歴史小説になりますと、読者にその歴史の風景の中に立っているような錯覚を起こさせなければいけませんので、自分がその風景を知っていないとどうしようもない。『シュンスケ！』では角川の担当編集者にお願いして、伊藤俊輔の故郷、山口県の光市《ひかり》にある生家を取材に行ったりしました。もちろん松下《しょうか》村塾《そんじゅく》のある萩にも行って、土地の空気を自分の中に入れたりもしました。これが他ジャンルと歴史小説との大きな違いなんだろうと思います。

――取材に関して質問をもらっています。

《現地に足を運びたいのはやまやまだけれども、行けない場合は、何か別のことで補塡できたりすることはありますか？》

《もしどうしても現地取材に行けなければ、書くのを諦めなければいけないのでしょうか？》

門井　僕も、小説の舞台になる土地にすべて行っているわけではありません。むしろ全部に行っていたら、執筆する時間が無くなってしまいますからね。だから、きわめて重要な所だけに行くことにしています。旅行ができない、あるいは外出する時間すら無い場合には、家に閉じこもるか図書館で資料を読むしかないですよね。取材に代わる方法としては、ビジュアル的なものを見て確かめるということになります。絵とか、写真とか、地図とかですね。『シュンスケ！』の場合でも、旅に出る前に、ネットや書籍などでそういう資料を集めました。あ、それと、地元の博物館の図録なんかも役立ちますね、図版が多いし。これは現地に行かなくても、問い合わせれば買える場合があります。

――地図は現代のものですか、それとも古地図ですか。

門井　現代のものですよ。国土地理院が出している二万五千分の一の地図なんか良いですね。市販されているものです。ネット上のマップのように情報過多ではありませんから、かえって歴史を想像しやすい。それを見ながら、ここに山がある、川があると確認して往時の風景とか、人の流れなんかを想像するわけです。大規模な土地開発がないかぎり、地形は昔とそんなには変わらないですからね。国土地理院の地図は非常によくできていて、しかも安い。だから僕なんか三、四枚同じものを買ってきて、赤のサインペンでどんどん書き込みしちゃう。ごちゃごちゃになったら丸めて捨てればいい。これは旅のかわりになります。ちょっと童心に返るような楽しい作業です。

――そうやって調べれば調べるほど、史実と自分の持っていたイメージとがズレてしまうことはありませんか？　そのような場合は、どうやって帳尻を合わせるんでしょうか？

門井　同業者の作品を読んでいても、あ、これは書くうちに見込みが違っちゃったんだな、なんて分かるものがありますよ。僕も他人のことは言えませんが、それはプロでも必ずあるんです。あるんだけれども、その場合には史実にしたがうか、自分のイメージに引き寄せるか。判断基準は、結局はテーマです。

――え、どういうことですか？

門井　我々作家が究極的に書きたいのは、歴史上の人物の人生ではないはずなんです。人物ではなく事件でもない。その奥にある何らかの人間的なテーマのはずです。例えば男女の愛でもいいですし、師弟愛でもいい、出世欲でもいい。人間心理の奥底にある何か……それを人物に、あるいは事件に託して書くということを無意識に、あるいは意識的にやっているはずです。

史実を取るかイメージを取るか、二者択一で決めようとするから迷うのであって、その奥にあるテーマに一度戻してみましょう、ということなんです。源流にまで遡《さかのぼ》って考えれば、その手前に流れるものは自ずから判明する。僕のやり方はこういう手順ですね。遠まわりなようだけれど、長い目で見ると結局そっちのほうが作品の質が上がるし、案外早く書けたりするんです。

歴史小説の易しさ難しさ

――『シュンスケ！』は長編ですが、プロットの立て方は、それまでと違ってきたのでしょうか？

門井　歴史小説の場合、簡単でもあり、難しい面もあるんです。まず、簡単な方から説明しますと、プロットを立てる必要がない。まあ「ない」とまで言うのは言いすぎですけど、例えば若き日の伊藤博文は、文久三年（一八六三）、長州藩によってイギリスに派遣されていて、翌年帰国している。このことは完全な史実として動かせない。動かせない代わりに、年表の方で勝手にプロットを用意してくれているわけで、これは非常に楽な点ですね。

　では、難しいところは何かといえば、今お話しした面の裏返しで、読者がすでに結末を知っていることなんです。俊輔が京都の夜道を歩いていたら浪人に襲われた、さあ、俊輔は浪人の刃を受けて死んでしまうのか、それとも生き残るのか……という風に興味を引きつけて話を運ぼうとしても、すでに読者は彼が明治時代に初代総理大臣になったことを知っているわけで、生き残るに決まってる。いろんな読者がおられるとはいえ、基本的に結末を知っていることを前提に物語を組み立てなければいけないのは難しくて、考えてみると、この書き方はミステリーとは正反対なんですね。

――ちなみにミステリーの場合、プロットは、どんな組み立て方をするんですか？

門井　ミステリーとは、読者にいまだ知られていない結末に向かって突き進む小説の形式であり、反対に歴史小説とは、読者がすでに知っている結末に向かって突き進む小説の形式である――こういう整理の仕方もできると思います。当然ミステリーのプロットは、歴史小説よりは複雑になります。年表そのものを捏造するような感じですね。

エクセルで作る年表

――ではここで、門井さんが『東京、はじまる』（二〇二〇）をお書きになったときのプロットを皆さんに見ていただきましょうか。この作品は、日本銀行本店本館（重要文化財）、東京駅（丸ノ内本屋、重要文化財）、国技館（初代、現存しない）など東京の主要な建築物を設計した明治の建築家・辰野《たつの》金吾《きんご》の一代記ですね。

門井　はい。僕はプロット代わりにこういう年表をエクセルで作っています（図1）。原稿は一太郎（ワープロソフト）で書きますので、一太郎とエクセルを往復しながら小説の執筆作業がすすんでいくわけです。

　年表の説明をしますと――、

《一八五四年、唐津藩の下級役人・姫松蔵右衛門の次男に生まれる》

　その次に、

《一八六二年、小笠原長行《おがさわらながみち》、幕府奏者番に》

とありますが、小笠原長行というのは唐津《からつ》藩の跡取り、事実上の藩代表で、これがあとで物語にからんでくるんです。そして次に僕の推測が書いてあるでしょう。

《このとき長行は江戸へ。それに随行したお小姓の中に達蔵もいたと思われる》

「達蔵」というのは、後年、辰野金吾が工部大学校（東京帝大建築学科の前身）の一期

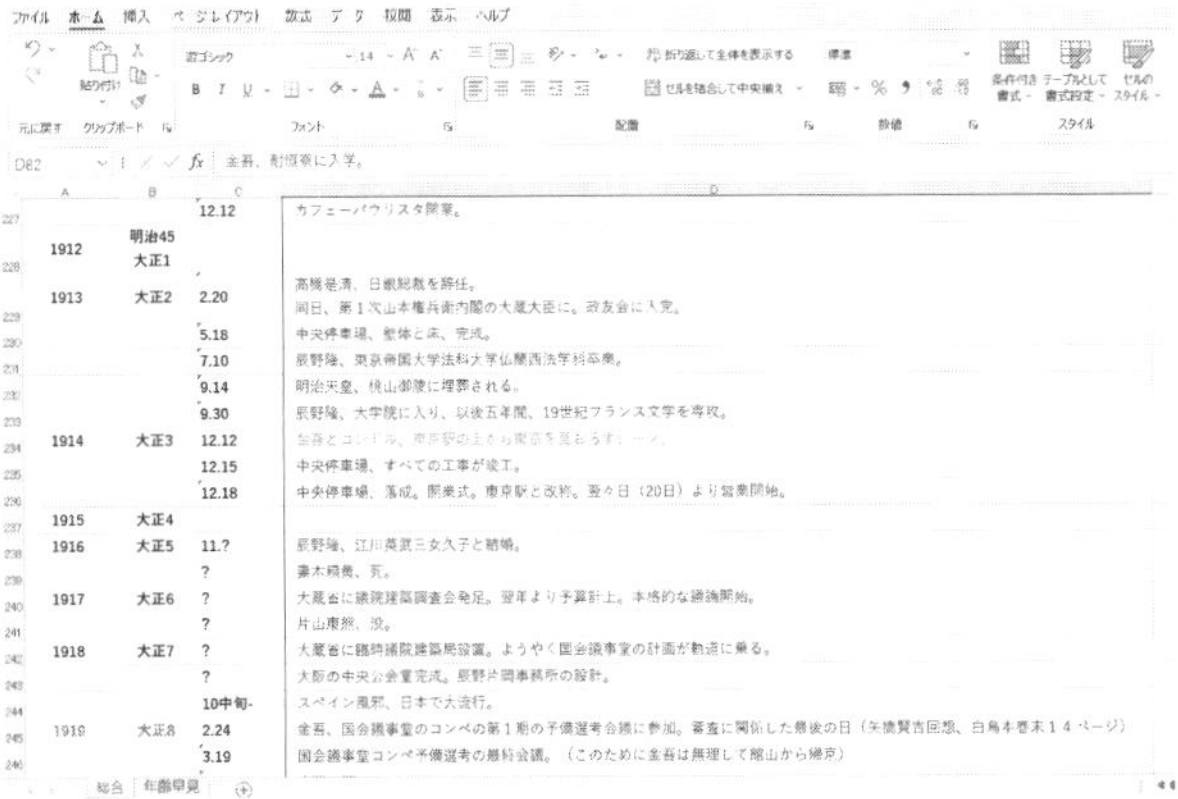

	A	B	C	D
227			12.12	カフェーパウリスタ開業。
228	1912	明治45 大正1		
229	1913	大正2	2.20	高橋是清、日銀総裁を辞任。 同日、第１次山本権兵衛内閣の大蔵大臣に。政友会に入党。
230			5.18	中央停車場、躯体と床、完成。
231			7.10	辰野隆、東京帝国大学法科大学仏蘭西法学科卒業。
232			9.14	明治天皇、桃山御陵に埋葬される。
233			9.30	辰野隆、大学院に入り、以後五年間、19世紀フランス文学を専攻。
234	1914	大正3	12.12	金吾とコンドル、東京駅の上から東京を見おろすシーン。
235			12.15	中央停車場、すべての工事が竣工。
236			12.18	中央停車場、落成。開業式。東京駅と改称。翌々日（20日）より営業開始。
237	1915	大正4		
238	1916	大正5	11.?	辰野隆、江川英武三女久子と結婚。
239			?	妻木頼黄、死。
240	1917	大正6	?	大蔵省に議院建築調査会発足。翌年より予算計上。本格的な議論開始。
241			?	片山東熊、没。
242	1918	大正7	?	大蔵省に臨時議院建築局設置。ようやく国会議事堂の計画が軌道に乗る。
243			?	大阪の中央公会堂完成。辰野片岡事務所の設計。
244			10中旬-	スペイン風邪、日本で大流行。
245	1919	大正8	2.24	金吾、国会議事堂のコンペの第１期の予備選考会議に参加。審査に関係した最後の日（矢橋賢吉回想、白鳥本巻末１４ページ）
246			3.19	国会議事堂コンペ予備選考の最終会議。（このために金吾は無理して館山から帰京）

図１　『東京、はじまる』のために作ったエクセルの年表

生となったときの同級生で、曾禰《そね》達蔵《たつぞう》という人物です。金吾と違って上級の武士の家柄なんです。先走って言っちゃいますと、金吾は、世が世なら近づくこともできなかったようなこの曾禰達蔵を猛勉強で追いこして出世していく。明治維新というものが武士の身分をなくしてしまった一大改革であることの典型例で、そこがこの小説の読み所にもなっているわけですけれども、この年表には、そういう伏線も書いておくんですね。

——これだけの情報量を年表に詰め込むのは大変ではないですか？

門井　この年表はね、僕が小説を書く前に準備万端ととのえて、というものじゃないん

です。最初のうちは大雑把《おおざっぱ》なもので、基本的な情報しか書いてない。それが書くにしたがって調べも進んでいくので、順次書き足していくスタイルなんです。物語といっしょに年表も育てるわけです。

大正三年十二月十二日の項に《金吾とコンドル、東京駅の上から東京を見おろすシーン》とありますね。これ、両人が功成り名を遂げた晩年、自分たちに出来たこと出来なかったことを語り合う情景を書くためのメモなんですけれども、《シーン》という語句に注目してください。その下の項には、《十二月十五日、中央停車場、すべての工事が竣工》——中央停車場は東京駅のことですけれども、こちらのメモには《シーン》と書いてない。

——どういう違いがあるんでしょう？

門井　この日に東京駅の工事が竣工したのは歴史上の事実だけれど、二人が駅の上から見下ろしながら語るのは、僕の作ったフィクションだということ。《シーン》という言葉の有る無しで、どの場面が史実でどの場面がそうでないかを僕自身が厳密に区別するための工夫なんです。

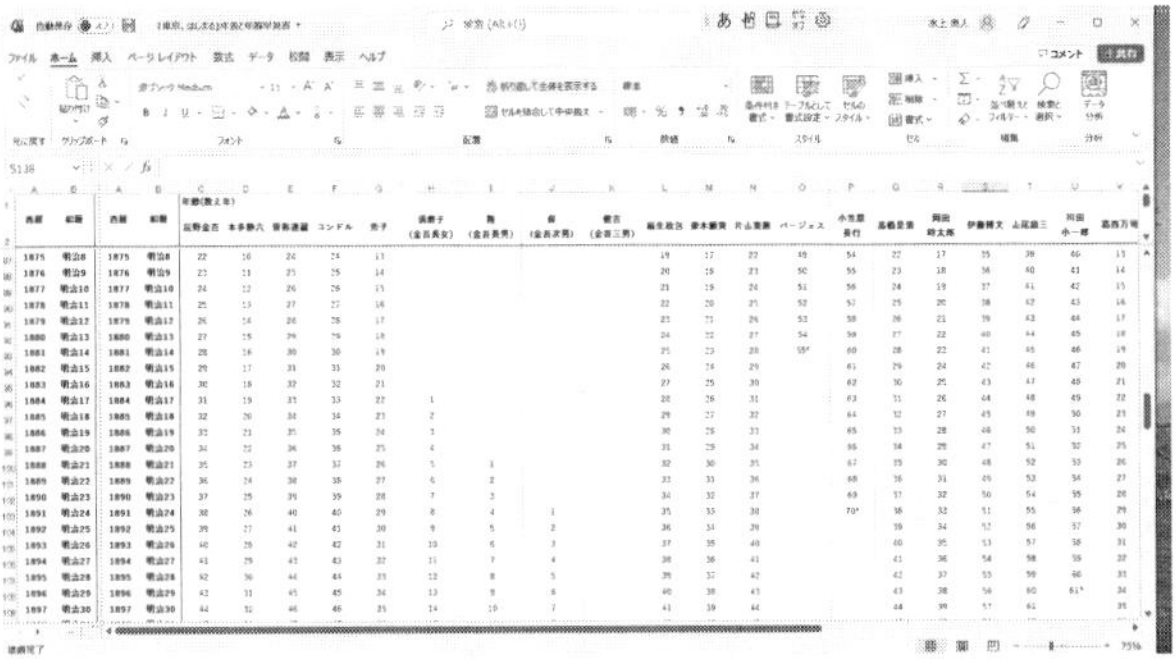

図２　『東京、はじまる』のために作ったエクセルの年齢早見表

――実際には、二人は東京駅の上に登ってないんですね？

門井　そういう記録はありませんでした。つまり、こういう工夫をしないと、あとで自分でも忘れちゃうんでね、正直にいえば。

年齢早見表は便利

――もう一つ、年表みたいなシートがありますね（図２）。

門井　年齢早見表です。横軸に人物を、縦軸に年代をとりまして、その縦軸に年齢を加えますと、例えば辰野金吾は一八五四年生まれですから、このとき数え年で一歳となるわけです。

戦前までの日本では満年齢じゃなく、数え年のほうが普通に使われていました。数え年ではゼロ歳はありません。人間は生まれたその日に一歳となり、次の一月一日がくると二歳になります。つまり元日に国民全員一斉に年を取る。だからお正月が盛り上がるんですね。満年齢だと、これはもちろん、それぞれの誕生日に年をとります。

――数え年では一月生まれも、十二月生まれもまったく同じ年の取り方をするということですよね。

門井　そうですね。話がそれましたけど、この年齢早見表だと、ある年にAさんが何歳かが分かると同時に、べつのBさんがそのとき何歳かまで分かるわけです。

――エクセルはオートフィル機能を備えているので、こういう事がいとも簡単にできるんですね。

門井　そう。とっても便利で手離せません。辰野金吾の奥さんは秀子さんと言いますけど、夫婦の情景を描くとき、二人が何歳離れているのかは、けっこう重要ですよね。この早見表を使えば、秀子さんが生まれたとき金吾は十歳だから、一歳と十歳で九つ離れていると分かって、それだけ年の差のある夫婦の心の通い合いを描くことが可能になります。

メリットは他にもあります。僕の歴史物に登場するのは実在の人物ばかりですけど、架空の人物を作ったときにも、年齢早見表へ入れちゃうんです。ここでは実在も架空もおなじ扱い。逆に言うなら、架空の人物であっても年齢の設定はちゃんとする。本文に「何歳」って出すか出さないかにかかわらず、あとあと混乱しなくてすみます。

――架空の人物も表に組み込むとは意外ですね。架空の人物の名前は最初から決まっているんですか？　それとも書きながら決める？

門井　ああ、名付けは難しいです。何でもいいと思いつつ、一時間ぐらいかかったりもします。その人物が小説に登場するギリギリまで、名前も決まらない感じですね。なんだかパソコン講座になってしまいましたけれども、エクセルは手放せません。マイクロソフト社は日本の歴史作家のためにこれを開発したんじゃないかと思うくらいです。そんなことはないでしょうけど。

――歴史小説でない小説の場合にも応用できるものでしょうか？

門井　もちろんできると思います。例えば年表なんかだと、現代小説で、たった一日しか時間が進まない作品――朝に始まって夜に終わるようなのもあるでしょうから、その場合の単位は、年月日じゃなく時間とか分秒とかになるんでしょうね。

――海外ドラマ『24～TWENTY FOUR』みたいな感じですね。

門井　そうですね。

――エクセルを駆使した書き方は、デビュー前からやっていたんですか、それとも歴史小説を書くようになってから新たに考え出したのですか？

門井　デビュー前からメモ程度に使っていましたが、デビュー後に、特に長編の本を出すようになってから大がかりになりましたね。エクセルの使い方は現在も試行錯誤しています。十年後にはまったく違った表になっているかもしれません。

キャラクターの作り方

――長編だと主要な登場人物は何人ぐらい必要なのでしょうか？

門井　人数に制限はないですね。かっこよく言うと、歴史の声を聞く――つまり、一人の主人公を出ずっぱりにさせる小説なら、一般論として他の人物はあんまり要らないですよね。これに対して話題ごとに舞台も視点人物も変わるような小説だと、他の人物も増えるでしょう。『東京、はじまる』の場合は辰野金吾がほとんど出ずっぱりなんですけれど、それにしては人数が多いかなと思います。金吾自身の人脈が広いから。このように、登場人物の数は小説の形式によっても題材によっても違ってきますので、一概には決められないし、決める必要もないんだろうと思っています。それよりも大事なのは、理由をつねに見定めるということでしょうか。特に架空の人物の場合は、何となく「ここで新しい人を出したら面白いだろう」じゃなくて、このシーンには、この章には、この小説全体には、こういう効果が必要だから出すんだっていうふうに。

――短編小説の場合はどうですか？

門井　短編は別ですね。短編で群像劇っていうのもできなくはないですけれど、混乱してしまいますからね。

――キャラクターを作っていくときに、年齢以外に門井さんが重視していることはありますか？

門井　これはキャラクター作りの王道じゃないかなと思いますが、史料に記されたエピソードから形づくっていきますね。辰野金吾の場合ですと、彼はスペイン風邪――今で言うインフルエンザで亡くなるんですけど、晩年はもう寝たきりで立てないわけです。そして最期、奥さんはじめ周りに集まっている友人知人に感謝の言葉を述べたあと、「万歳」と言って亡くなる。話としては強烈ですよね。語弊はあるけれども非常に面白い。そうして、死ぬ直前に万歳って言って死ぬ人は、一体どういう人物なんだろう？　と考えるうちに、さかのぼって人物像が膨らんでくるんです。

　エピソードではなく年表を読み込んでキャラクターを作ると、どうしても自分の頭の中が情報過多になってしまって、小説が固いものになる気がするんです。辰野金吾の場合でいえば、「何年に現在の東大を首席卒業」なんていうのは、単なる情報にしか過ぎないわけです。

　――ここで関連する質問を紹介します。

《エピソードが数かぎりなくある人だと、取捨選択の基準はどこにあるのでしょうか？》

門井　自分が面白いと思うかどうかですね。僕が面白いと思えば読者もきっと面白いはずだ、ということです。

わざと史実を調べない理由

――門井さんのエポックメイキングな作品として『家康、江戸を建てる』（二〇一六）がありますね。TVドラマ化もされて大変評判になりました。この連作短編の主役は家康でなく、土木建築そのものが主人公といってもいいと思うんですけど、こういった連作短編を書く場合は、書き方にまた別のルールがあるんでしょうか？

門井　他の作品と比べて、それほど差があるとは考えていません。先ほど『東京、はじまる』のところで、一生懸命作った大きな年表をお見せしましたけれども、あれも最初は非常にシンプルなものでした。『家康、江戸を建てる』のときも実は同じでして、書き出すときはわざとあまり調べなかった。

　僕の場合、これは長編でも短編でも同じです。調べるのはむしろ好きだけれど、わざと史実も調べない。ただ資料をそろえるだけ。なぜならば、書く前に調べすぎると小説が頭でっかちになるからです。たまに最初からくどくどと説明するような歴史小説がありますけれど、あれになってしまう。人間、勉強したものは書きたくなるという抜きがたい欲求があるんだと思います。書きだしたら猛烈に調べます。

利根川を曲げてヘトヘト

――『家康、江戸を建てる』の場合ですと、まず利根川《とねがわ》の流れを変える治水工事、貨幣を鋳造《ちゅうぞう》するための金座銀座づくり、飲み水を確保する上水工事、江戸城の石垣を積み上げる石積み、そして天守を起こす築城――という章立てになっていますが、それらをどのように組み立てたのですか？

門井　最初が利根川の流路を曲げる話なんですね。幕府を開く十年以上前の一五九〇年、家康は初めて江戸の土地を見るんですが、当時の江戸はまだ湿地と川だらけ。今でこそ、群馬県の山中に発した利根川の流路は、途中でぐっと東へ曲がって茨城県から太平洋に抜けていきますけど、当時はまっすぐ南へ落ちていた。東京湾に注いでいたんです。そのせいで江戸の町はビシャビシャ。家臣たちは「こんなところに来るなんて」と猛反対しました。
その利根川の流れを曲げて懸命に埋め立てをし、堀割《ほりわり》を整備するための工事を始めたのが家康なんですね。この話はスケールが大きいから是非書きたいと思ってまして、正直、その次に何を書くかまでは考えていなかった。

――第二話は金貨などの造幣事業ですね。

門井　金貨が江戸の町づくりと関係あるかないかと問われたら、これ、微妙なところですね。だいたい、一話を書くだけでヘトヘトになって、利根川を曲げたからもういいわ、と満足しちゃったんです。だけど、雑誌で連載枠をいただいているので次の話を書かなきゃいけない。手元に金貨の資料があるから、とりあえず金貨のことを書こうか、みたいな感じだった記憶があります。でも、必死で調べましたよ。金貨と町づくりを関係づけるために。そうか、京都と対比すればいいんだ、金貨は京でも江戸でもつくるんだから、その違いがわかれば江戸の町の性格がはっきりする。そう思いついたときはうれしかったなあ。
　とにかくそういうわけで、最初から統一的な構想があったわけではないというのが真実でございまして、はい。

——そうしますと、資料に合わせてストーリーを考えるのではなく、まずストーリーを頭に描いてから資料に肉付けしていく、という方法ですね？

門井　そうですね。先ほども言ったとおり、歴史小説の場合、読者はすでに結末を知っているとの前提で書かなくてはなりません。もちろん利根川を曲げたことは知らないにしても、史実そのものは曲げられないから、知っているものとして書く。そうすると、結末で驚かせるのでなく、ストーリー展開で引っ張っていかなきゃいけないんです。だからいっしょうけんめい考える。

　ところがここに矛盾があって、そのストーリーをよくする方法は何かといったら、結局はたくさんの資料を地道に読むしかないんですね。たくさん読んだ上で思いついたストーリーは、やっぱりどこかその時代っぽい。本当らしい嘘になるんです。それに対して、あまり読まずに書いてしまったら、そこだけ妙に現代小説っぽくなってしまいます。ああ作者の創作だなって、読者はすぐわかっちゃう。

徳川家達所蔵の書籍

――『家康、江戸を建てる』の時代はクレーンなんかもちろん無かったでしょうし、そのたぐいの技術の有無などを、調べるのが大変だったと思うんですけど。

門井　それを説明できる資料があるんですよ。一番の根本的な資料は『明治以前日本土木史』です。戦前の一九三六年に出た本で「土木学会編」となっています。河川を曲げたり、堤防を築いたり、埋立てをしたり……いろんな土木作業があるわけですが、そのすべてのジャンルについて古代、平安、江戸など、それぞれの時代の土木技術が網羅されている。これ一冊あれば歴史小説を書くのに怖いもの無しとまでは言えないけれど、最初にあたりをつけるのには最適です。

さらに余談なんですけど、私が手に入れた『明治以前日本土木史』の元の持ち主は誰かというと、なんと徳川家達《いえさと》――。

――え、あの徳川家の「十六代」と呼ばれた家達ですか？

門井　はい。慶喜が鳥羽《とば》伏見《ふしみ》の戦いに敗れて江戸に帰ってきたあと、王政復古となり、維新政府から徳川宗家を継ぐことを許されたのがこの家達さん。まだ数えで六歳のときだから家達くんかな。タイトルページに「家達」と筆で書かれていて、その下に「静岳《せいがく》」の印が押してある。彼の号です。印影を調べてみたけれど、間違いないです。

――なぜ家達さんがこの本を持っていたんでしょう？

門井　それは分からないです。ここからは僕の推測ですけれども、家達さんは徳川家の当主ですから、最初は当然のごとく逆賊扱いを受けます。でもその後、新たに設けられた華族制度の下で公爵《こうしやく》様になるんですね。公・侯《こう》・伯《はく》・子《し》・男《だん》の一番上ですから、あちこちの学会や公共団体の名誉職に就く。今でも皇族がそうした地位に就くことが多いですね。で、おそらく土木関係の団体、ひょっとしたら、まさにその「土木学会」の名誉職に就いていたのではないか。そこから献本を受けたのがこの古書では……これが僕の推測です。

――そもそも門井さんはこの資料とどこで出会ったのですか？

門井　神保町の本屋さんからネットで買いました。ネットで買うメリットは、古書店を巡り、古書店の棚を漁《あさ》らなくても、ピンポイントで入手できることですね。これはもう、僕の宝物になりましたよ。「家達」が持っていた物を「慶喜」が「家康」を書くために買った――すごいことですよね。まあ、僕は徳川家とは関係ないですけども（笑）。

今、ネットの話が出たので、ネットと古本について一言申し上げます。インターネットと古本って、実は昔からすごく相性が良いんです。なぜかというと、古本の業界は、インターネットのない時代には目録販売が盛んだった。つまり、ある古本屋さんが自分の店で揃えている本の目録を印刷して、製本してお得意さんに郵送する。お得意さんはそれを見て電話やファックスで注文する。そのシステムがあったから、インターネットが登場した時もすごくスムーズに移行できたんですね。僕としても、これを利用しない手はない。例の家達さんの持っていた本も、そうやって手に入れたというわけです。

何も感じなかった東求堂同仁斎

――門井さんの一連の仕事の中には、近代建築関係の作品が多くありますね。すでにご紹介した『東京、はじまる』のほか、『屋根をかける人』（二〇一六）は、明治末期に来日したアメリカ人建築家W・M・ヴォーリズの一代記、『地中の星』（二〇二一）は東京に地下鉄を建設した早川徳次と技術者たちの物語ですね。そして、『ぼくらの近代建築デラックス！』（二〇一二）がルポ対談集、『日本の夢の洋館』（二〇一九）は写真集など。このように、近代建築というものをさまざまなかたちで追いかけています。これは、近代建築が門井さんにとっての重要テーマだということですか？

門井　もちろん古い建物を見ること自体が好きということもあるんだけど、僕としては、建築も資料の一種なんです。建築というのは他の彫刻、絵画、工芸品、書籍といったような文化財のなかでも物理的な意味で一番大きいし、雨に濡れても大丈夫。中に入って体験することもできる。そこから得られる情報量は、他の文化財を圧倒しているわけです。

　例えば僕の手元に、福沢諭吉の『学問のすすめ』初版本があります。これも手に取ることはできるけれども、所詮は、ただ見ることしかできない。近代建築のように、中に入り込んで得られる喜びはないわけです。僕なんかがいろんな建築を見て回っているのも、その喜びのためと言っていいでしょうね。

――建築がらみでは、『銀閣の人』（二〇二〇）を出してますね。室町幕府八代将軍・足利義政が応仁の乱のさなか東山殿（いわゆる銀閣寺）を構想し、そこに美を追求するという長編小説ですけれども、実際に銀閣を訪ねてみて感じることは何かありました？

門井　一般に銀閣寺と呼ばれている慈照寺《じしょうじ》には、有名な銀閣と並んで知られる東求《とうぐ》堂《どう》という建物がありまして、そこに取材で入れていただいたんです。中には同仁斎《どうじんさい》と呼ばれる四畳半の部屋がありました。この書院造りの書斎に入って思ったのは、「あ、ごくごく普通だ」ということ。僕のセンサーに何にも引っかからないわけです。東求堂の同仁斎は高校の教科書にも出てきますけれども、何も感じなかったことが逆に衝撃で、よく覚えています。

　でも、じっくり考えると、同仁斎に面白味がないわけじゃなくて、その後のあらゆる日本建築がこれを真似たんだと思い当たりました。この建築は、今に至るも日本の和室の原型みたいになっていますから、我々にとってあまりにも当たり前すぎて、逆に平凡に見えたんです。そう分かって、「これは長編が書ける」と思いました。

――その体験がどのようにして長編になったのですか？

門井　この着想をそのまま人間に移したわけです。一見平凡と見える人間でも、ひょっとしたら偉大なのかもしれない。もしもそれが「他人とおなじ」っていう意味じゃなくて、あんまり秀《ひい》でているので他人がみんな真似をしたっていう意味ならば、それは実は平凡じゃない、輝かしい普遍性の獲得なんだからと。

そう思って足利義政という人を見ると、まさしく一般的には凡庸な将軍と言われている。大名たちが応仁の乱を起こしたのに何もできず、現実逃避して銀閣をこしらえた、みたいな。ここまで来ればしめたものです。あとはその説を疑うことで人物像ができていく。題材との関係もスムーズになる。安心して執筆に取りかかることができるわけです。何でもかんでも題材と人物を合わせればいいという話でもありませんが、ある意味、この銀閣寺体験も、さっきお話しした「建築はほかの文化財と異なり、中に入った時の喜びが違う」ことの証《あかし》になるんじゃないでしょうか。

資料は全部読まない

――資料に関して質問が来ています。
《厖大《ぼうだい》な資料に囲まれた書斎ですが、資料はすべて読破するのですか？　それとも必要な箇所だけ読まれるのですか？》

門井　これだけの本を読破できるわけないですよ（笑）。

――私もほっとしました。

門井　僕はそれほど真面目な人間じゃありませんよ。

――でも、これだけあると、どこに何があるかの把握のために、あるいはすぐ取り出せるために、何か工夫はされていますか？

門井　しいて言えば分類法でしょうか。歴史の本であれば、古代の棚、中世の棚、近世の棚、現代の棚という具合に時代順に分けて、その上で、作品ごとに使った資料本を分けていきます。そうしておくと、何かの資料が必要になったとき、ああ、あれは『銀閣の人』を書く際に使ったからあそこにあるな、という風にすぐ見つかるわけです。

この方法の利点は、作品を書いた時の記憶が使えるので、新たに何かの項目を立てる必要がないことなんです。僕以外の人が調べに来るわけじゃないから、それでいい。結局はこういうところにプライベート・ライブラリーというものの最大の利点があるのではないでしょうか。

古めかしい文体に慣れる

――歴史時代小説を書くにあたって、最低これだけは揃えたい、あるいは図書館で借りて読んでおきたい、そういう資料はありますか？

門井　どの時代を書くにしても、古めかしい文体に慣れることが必須ですね。僕たちは研究者ではありませんから、原則としては古文書に直接あたる必要はなくて、活字になった翻刻本で充分なんですが、それでも文語文もしくは古文に親しむことは避けて通れません。そのための一つのアプローチとして、小説を読むといいですね。

――小説ですか？

門井　樋《ひ》口《ぐち》一《いち》葉《よう》の『にごりえ』、『たけくらべ』、あれは和文系の文語文で書かれています。短いし、小説ですから話も面白いし、すぐ読めちゃう。漢文系ですと、幸田《こうだ》露伴《ろはん》の『五重塔』。ほかにも泉鏡花でもいいですし、尾崎紅葉《おざきこうよう》の『金色夜叉《こんじきやしゃ》』もいい。こうした古めかしい文章に慣れておきたいですね。

昔の文章を読む上で重要なのは慣れです。毎日少しずつでも読んでいれば誰でも読めるようになる。知らない言葉が出てくるのは当たり前のことであって、いちいち引っかかる必要はありません。だんだん文脈でわかるようになります。いざ何かを書くために厳密な読解が必要になったら、そのときに辞書を引けばいいんです。

――泉鏡花でお勧めの作品は、どのへんになりますか？

門井　選ぶのは難しいけれども、そう、学生時代に岩波文庫で読んだ『外科室』ですね。ごくごく短い話でして、上流階級の女性が今から手術に臨むということでベッドに横たわっている。執刀するのは若い医学士。いざ手術が始まると、なぜか血は飛び散るわ、女性は起き出して何か言いだすわ――こういう風に説明すると、なんだかドタバタコメディですけど、これ、一種のファンタジーなんです。文語文の描写が美しくて、とくに赤の使い方が実に巧い。僕は大好きなんです。現代語に訳したら味が全部消えてしまう。

ただし、泉鏡花の作品というのは、あれを真似して書こうと思うととんでもない失敗をするし、そもそも真似なんてできません。あれは鑑賞専用だと三島由紀夫《みしまゆきお》も言ってますから、そのおつもりでどうぞ。

――だとするとですね、今の若い方々には三島や谷崎潤一郎《たにざきじゅんいちろう》あたりも鑑賞用ということに?

門井　そうか、そうなりますかねえ。谷崎の「陰翳礼讃《いんえいらいさん》」などは文学界の東求堂同仁斎で、あんまりすごすぎて逆に普通に見えちゃうんですが……ならば、自伝はどうでしょう。福沢諭吉《ふくざわゆきち》の『福翁自伝《ふくおうじでん》』なんかは有名ですけど、意外に面白いのは『寒村《かんそん》自伝』。荒畑《あらはた》寒村という戦前の社会主義運動家ですね。戦後は一九八一年まで生きましたが、思想的に云々《うんぬん》する前に、とにかく面白いですよ。まず、イケメンなので女性にモテるんです。それも左翼かぶれの女に言い寄られるんですから、平凡な恋愛になるはずがない。語り口がまたいいんです。人物描写がいきいきしているから、充実した青春小説のような感じもある。やや長いものですが、僕は楽しく、あっという間に読んでしまいましたね。左翼活劇って言ったら左翼の人に怒られるかな。

推敲は裏切らない

――小説を書くとき、門井さんはもちろん明治の文体をそのまま書いているわけではなく、登場人物たちもほぼ現代語で喋っていますよね。そのような歴史小説の文体は、どうやって確立されましたか？

門井　僕は確立したという感じがなくて、むしろ文体が確立してはいけない、とすら思っているんですね。もうちょっと正確に言いますと、文体というものは、あまり個性的であってはいけないと考えています。歴史小説に限らず、我々は、ある魅力的なストーリー、魅力的な人物、魅力的な事件があって、それを読者に届けるために書くわけですから、文章がそれを邪魔してはいけないんです。文章はなるべく無色透明というか、最小限の言葉数で最大のものを読者に伝えるということを、まず考えるべきです。その上に何かしら気品――上品である必要はなくて、下品でなければいい――のようなものがあれば、結果的にじゅうぶん個性的な文体になります。

――そうしますと、何をポイントに推敲されていますか？

門井　読者に分かりやすい文章になっているかどうかですね。次に、素早く分かるかどうか。同じ分かるにしても、五行も六行も費やしてやっと分かるのではダメで、とっさに分かることも大事です。ただ、素早くを意識しすぎると、どうしても難しい言葉を使ってしまいがちなので要注意です。例えば「思いつき」よりも「着想」の方が概念を伝える速度は早いので、そこはバランスをとって推敲をしています。

「推敲」という言葉が出たついでに申しますと、推敲はとても大事です。文章がうまくなるにはどうすればいいですかって、こういう職業柄よく訊かれるんですけれども、そういうときは「推敲すればいい」と答えます。よくアスリートは「練習は裏切らない」って言いますよね。作家もそうです。推敲は裏切らない。すればするほど文章というのは良くなるし、長い目で見て筆力もつくので、これは小説を書きたい皆さんに、やっていただきたいなと思います。

ただ推敲っていうのはつらいですね。誰でもつらい。なんでかというと、推敲って自己否定なんです。きのうの自分が「いいぞ」と思って書いたことを、きょうの自分が削除する。言葉の上での自殺とまでは言えないけれど、自傷行為であることは確かなんです。だからこそ繰り返すことに意味があるんですね。

画面上で推敲する

――とくに新人賞に応募する方は、何度も何度も推敲されると思うんですけど、こんな質問がきました。

《推敲を重ねるうちに自分の作品に飽きてしまうのですが、門井さんにはそういう経験はありませんか？》

門井（笑いながら）これ、良い質問ですね。だけど、僕は推敲して飽きることは絶対ないです。本当のことを言うと、僕は本を出したくないんです。出したら推敲できないから。永遠に手もとに置いて手を入れつづけるのが理想ですね。つらいんだけど。

――推敲の時はプリントアウトされます？　それともＰＣ画面で？

門井　僕は一〇〇％、ＰＣ派ですね。

――畠中恵さんは、紙に出力するそうですから正反対ですね。

門井　あ、そうなんですか。人によって違うものなんだ。

――作家の方も十人十色みたいですね。高橋克彦さんは、門井さんとの対談で「他の誰の作品より自分の作品が面白いから、一生自分の作品だけを読んでいたい」と何度も推敲することを語っていました。

門井　僕もどちらかといえば高橋派かな。本になったら読まないんだけど、原稿の段階では何度も読み返しますね。

――門井さんが『銀河鉄道の父』で直木賞を受賞した時（二〇一八）に「オール讀物」でも対談していただきましたが、お二人はとっても縁が深いですね。

門井　『銀河鉄道の父』は宮沢賢治を父親の視点で描いた作品ですから、岩手県が舞台で、高橋先生は岩手のご出身ですからね。

――徳川家達と門井さんの不思議な縁もそうですけど、小説を書いていくと、時として思いも寄らないことが起きますよね。

門井　起きるものですね。高橋先生とも、実はあの対談までお目にかかったことがなかったんです。新人賞で落っことされた時から数えて十九年目のご対面ですよね。

ただ、接点はあったんです。高橋さんの『源内なかま講』が文庫本になった時（二〇一三）、その解説を書かせていただいたんです。編集者を通じておほめの言葉もいただいた。でも、意外とお目にかかることはなかった。それであの対談でしょう。感慨深いと言いますか、あの高橋さんの前に顔を出せるようになったなと思って、ちょっと自分が好きになりました。

――今、聞いてらっしゃる皆さんも、デビューして門井さんに会う機会があったら嬉しいでしょうね。「わたし、あの講義を聴きましたよ」って。

門井　是非、同業者としてお目にかかりましょう。

大切な参考文献に囲まれて

――きょうはお仕事場からのリモート中継ですので、門井さんが執筆に使う資料を見せていただきましょうか。机の周りを映していただけますか。

門井　これが僕の執筆スペースです。ディスプレイだとか、手前に白いキーボードとか、その他いろんな文房具とか、見えますか。これ、地名事典ですね。地名事典は歴史物を書くときよく使うので、近くに置いてあります。

——北海道から沖縄まで、四十七都道府県ぜんぶ揃ってるんですね？

門井　そうなんです。よく見ると、大判と少し小さめの判がひとつ置きに並んで凸凹してるでしょう。なぜかと言いますと、大きな平凡社版と小さめの角川書店版があって、中身はどちらも遜色ないんですが、それぞれを分けて本棚に並べると、見た目は綺麗だけど泣き別れになっちゃいますね。北海道なら北海道が離ればなれなので、調べようと思ったときに二度手間になるわけです。ですから、見た目よりも効率重視ということにしたんです。でもそれがかえって珍しいらしくて、カメラマンはよく撮って行きますよ。

——新人のうちにぜんぶ揃えるのは難しいと思うんですけど、手始めに関東だけ、京都だけ、みたいなことでも役に立ちます？

門井　ネットではバラ売りもしてると思いますよ。ただ、東京とか京都とか、大きな地域、人気の地域はネット市場にたくさん出るけれども、人口の少ない地域はちょっと出にくくなる傾向にあるようです。

――門井さんのすぐ後ろ、濃い紺色の本がずらっと並んでますけど。

門井　これは吉川弘文館の『国史大辞典』ですね。その左、オレンジ色っぽい背表紙の大きな辞書は『日本国語大辞典』。小学館が出している日本最大規模の国語辞典です。これらはよく使うので、座ったまま手が届くように下から三段目に置いています。あとは、カーテンのすぐ下の棚に並んでいるのが『新・国史大年表』（国書刊行会）。古代から現代までの年表だけでこのボリュームです。これもよく参照しますね。

――ほかに、作品ごとに資料をまとめた棚があるんですね？

門井　そうです。これが『東京、はじまる』のコーナーで、一番上の棚に『辰野隆《ゆたか》随想全集』（福武書店）を置いています。辰野隆は辰野金吾の長男で、フランス文学者ですね。そこから右の方に江戸の地図がありますね。どうしてこんなものがと思われそうですが、辰野金吾は明治の第一世代の建築家で、いってみれば、それまでの江戸の町並みを破壊した人、意図的に破壊して洋風に変える使命を担った人なので、江戸の町並みもちゃんと調べておこうと考えたわけです。

下書きとプロット

――では、皆様からの質問をここでまとめてご紹介したいと思います。

《初校ゲラで手直しする段階から完全に手を離れるまで、作品の内容はどれぐらい変わりますか？　どこで完成したという判断をされるんですか？》

門井　最初から最後まで分かりやすくなった時、ですね。分かりやすさを説明はしづらいですけど、僕の指数でいうと一〇〇になるまで手放しません。さっきも言ったとおり、本になったら推敲できませんから。

――締切がありますよね、どうしても。

門井　（笑って）そうそうそう。編集者の立場からすると、あまり作家に推敲されるのも困るわけですね。皆さんのような新人さんは、いくらでも推敲してもらっていいんですけど、プロだとそれが許されない。僕の場合には、締切に間に合いそうもない時は寝る時間を削ります。時間がないから九〇でいいや、みたいなことはありません。

――門井さんの場合、推敲というのは、プロットから書き直すこともあるんでしょうか？　それとも、読みやすさ重視で整えていく感じですか？

門井　僕の場合には、プロットを考えてから下書きに入りますが、下書きといってもプロットに毛が生えたようなものですね。ずいぶん短い。それにどんどん書き足して肉付けしていく。五行のものが一枚になり二枚になり三枚になり……。ある程度の長さになったところで、「よし、これなら読者にも分かりやすいだろう、じゃあ次に行こう」と。こうして、推敲する度《たび》に長くなるタイプですね、僕の場合。だから後戻りすることもない。プロットから完成稿まで、総じて一方通行です。まあ、最初の下書きが極端に短いからでもあるんですけれども。

――イメージ的には雪だるまが膨らんでいくみたいなものでしょうか。

門井　そうですね。さすがに短編の場合は、発端からクライマックスからエピローグまで、ちゃんとした構成を決めて書くんですけど、その構成自体はおおむね箇条書きで済んじゃうんで、それに直接書き足して読者が読める文章にしちゃいます。

「天声人語」が読めれば読める

――これまで「分かりやすく」という言葉が何度か出てきましたけれど、それは読者の歴史リテラシー、つまりどの程度、歴史に関する知識をお持ちかにもよると思うんです。門井さんは、どのあたりに基準を置いていますか？

門井　僕の小説は「天声人語」が読めれば読めます、という風にいつも言っています。ある時、朝日新聞の記者に確かめたところ、「コラムというのは一般的に中学生ぐらい、少し賢い中学生ぐらいを想定して書いている」とのことでした。僕もそれぐらいだろうと思っているんです。

――次の質問です。これも知りたいところですね。

《長編と短編で違うとは思いますが、一つの作品にどれくらいの準備をされますか？》

門井　今はもう、一か月も前からは準備しないですね。長編を書くときでも、資料はある程度揃えておきはするものの、「よし、やるぞ」となるのは一週間とか十日前ぐらいじゃないですかね。最初から気合いを入れすぎてしまうと、出だしが重くなって説明くさくなっちゃうので、最初は調べすぎないようにしています。やっぱり小説なんだから、最初は印象的な場面でありたいですよね、説明じゃなくて。

――《プロの作家は、いくつぐらい書きたい題材を持って、いくつぐらいの作品を

並行して準備されているものなんですか？》

門井　僕に関していえば、現在、連載を五本――小説二本とエッセイ三本――持っているんですが、いずれも歴史物ですので、そのつど調べて書かなきゃいけません。ですから、少なくとも五本を並行して準備していることになりますね。

題材については、僕、書きたいものをPCの「着想帳」って名づけたファイルに入れています。そのファイルは年々増殖していっている感じで……おそらく一生かかっても書ききれないぐらいの題材はあります。

書き続ける気力の源は？

――こんな質問も寄せられていますね。

《ミステリーから歴史小説まで幅広く、しかもコンスタントに書き続けていらっしゃいますが、書き続ける気力、バイタリティの源は一体何なのでしょうか？》

門井　うーん、言葉をあてはめる快感かなあ。小説でも何でも、ある文章の一部分にピタッと入る一語――たった一語でいいんです。そうそうあることじゃないけど、その一語が決まったら、もう三日ぐらい気分良いですよ。

——逆に辛い時ってありますか？

門井　ありますあります。一日の最初に机に座る時は辛いです。毎朝辛いです。

——作家の中で門井さんは、わりと生活の時間帯を規則正しくされていますよね。

門井　四時に起きまして……夕方の四時じゃないですよ。朝四時に起きまして、四時半ごろに自宅から歩いてすぐの仕事場に入ります。だいたい夕方の七時ぐらいまで書いている。もちろんその間にご飯を食べたり、ちょっと運動をしたりとかもするんですけど、基本的に七時までは、頭の中に何らかの形で仕事のことが入っているはずです。ですから、労働時間にすると相当長くなりますよね。

ひと月に百五十枚ペース

——朝四時半から夜七時まで、十四時間半が労働時間ですけど、こんな質問をいただいています。

《PCに向かって書く時間と、調べたり、考えたり、執筆以外に費やす時間との割合

はどれくらいですか？》

門井　それは考えたことなかったな。半々じゃないですかね。ディスプレイに向かってる時間と、それ以外の資料を読むとかメモを取るとかの時間と、日によって違うけど、均《なら》すとほぼ半々でしょう。

――だとすると、書く時間は七時間ほどとなりますけど、この時間内に何枚ぐらいお書きになるんでしょう？

門井　最高で一日に十枚書いたことあったかな。書けない時はもう、ゼロ枚っていうこともありますね。それは長編の構成を立てている時とかは書けないし。だからゼロ枚から十枚の幅じゃないかな。まんなかを取って一日に五枚だとして、月に二十五日執筆にあてると……百二十五枚か。まあ、実際は百五十枚前後をうろうろしているんじゃないですかね。松本清張みたいに月に千枚なんて、とても書けないです。

――あとの五日は？

門井　ぶらぶらしてるわけじゃありませんよ。取材とかで外出もしますから。

――同じく歴史小説を書かれている宮城谷昌光さんにお聞きしたことがあって、一日七枚を二十日間書いて百四十枚、それを一年間コンスタントにやれば、本を二、三冊は出せる、と。

門井　そうかそうか。ちょっと自信ついちゃった。宮城谷さんと同じぐらいのペースだと思うとね。

単行本デビューまで二年半

——作家を目指してる皆さんにとっては、新人賞をとるだけでなく、まず単行本を一冊出し、二冊目を出し、それらが文庫になる——こういう道のりを辿《たど》ることが目標になると思います。筆一本で食べていけるようになるまでの心構えをお聞かせください。

門井　僕は「オール讀物」に短編でデビューしました。でも短編一本では単行本にならないから、短編が何本か溜まるまで書き続ける必要がある。短編の新人賞出身者っていうのは、いわば二度デビューしなければならないんです。僕の場合は雑誌デビューから単行本デビューまで、おそらく二年半ぐらい開いていたと思うんです。

そこでどうしたかというと、落とされた「天才たちの値段」は出来そのものは良かったし、トリックの弱点もはっきりしている。なら手直しして堂々と出せばいいと。そしてそれをシリーズ化して、同じ美術探偵・神永美有《かみながみゆう》ものということにして単行本にしよう――そういう話が、新人賞をとった直後から決まっていました。で、そのシリーズを四編書き足すのに二年半かかったわけです。

――その間、それ以外のものは書かれなかったのですか？

門井　実をいえば、やはり単行本デビューを目指して、長編の賞に応募していたことはあるんです。それは松本清張賞ですけれども、神永美有シリーズの短編を集める作業と並行して、両睨《りょうにら》みでやってましたね。

――なるほど。三百〜六百枚が必要な松本清張賞は、受賞作が単行本で出る決まりですからね。編集者の立場からいえば、短編で新人賞をとられた方に、「じゃ、今度は長編にもチャレンジしましょうか」というお話をすることがあります。長編と短編では起承転結とか序破急みたいな作品構成は、まるで違うものですか？

門井　僕の場合は全然違います。両睨みで書いている当時は、そこまで短編と長編の差には気がついていなかった——だから松本清張賞はとれなかったけれども、今はこういう作り方をしています。短編の場合は、オチが決まれば書き出せる。長編小説の場合には、クライマックスが思いつければ書き出せる、という感じです。

これは一見、似てるようでまったく違うんです。短編の場合、オチというものは読後感に直接関わってきます。極端な言い方をすれば、オチさえ思いつければ、クライマックスは思いつかなくても書き出せる。しかし長編の場合には、エピローグよりも、そのひとつ手前の盛り上がりの部分が大事で、そこを思いついた段階で書き出すんです。逆に、それを思いつかないと、とても怖くて書き出せない、そういった所なんですね。

ですから、オチとクライマックスの持つ役割の違いが、短編と長編の違いなんじゃないかな、という風に思います。

——ここで、質問を紹介します。

≪シリーズ物になりやすい話・なりにくい話があると思いますが、門井さんが「天才たちの値段」で応募されたとき、神永美有を主人公に、これは連作になりそうだと考

えておられましたか？》

門井　それは考えてなかったと思いますね。「神永美有で一冊になるんじゃないですか？」というのは、編集者からの提案だったと記憶しています。

――《会話のやりとりが続くと、原稿用紙の下の方がガランと空いたりしますが、これも字数に数えるんでしょうか？》

門井　会話文で下が空いたとしても、それも含めての字数だと思いますけど。

――そうですね。空いた空欄の部分も含めて計算したものが、全体の文字数になります。

「歴史」と「小説」で迷ったら

――字数や枚数はともかく、改行の仕方とか、会話と地の文とのバランスとかは大事だと思うんですが、どう考えておられますか？

門井　会話文についてはたぶん皆さん、それほど迷わないと思うんですけれども、地の文はあまりに長すぎると読者が退屈するおそれがあります。地の文というのは、歴史小説の場合には二種類ある。客観的な史実を説明する地の文と、主人公や登場人物の状況を説明する地の文と。この二つを分けて考えた方がいいですね。前者は歴史小説の「歴史」の部分、後者は「小説」の部分であるという言い方もできます。で、歴史と小説と、どちらの要素を取るか、どちらの要素を長く書くかで迷ったら、小説のほうを取ってください。史実は捨ててください。なぜなら、読者は、史実についての客観的な情報を求めて歴史小説を読むのではなく、ストーリーなり人物像なりを得るために歴史小説を読むからです。これが僕からのアドバイスです。

――なるほど。とても有益なアドバイスですね。ただ、会話文に関しても皆さんずいぶん悩んでらっしゃるようで、こんな質問がきています。

《江戸時代のことを書いているのに、現代の用語や言い回しを使っていいのでしょうか？》

たとえば「そこで事故があって」と書く場合の「事故」は、江戸時代には使われていなかった言葉ですけど、それを使ったほうが読者には伝わりやすい、ということもありそうです。

門井　それは筆者の歴史への取り組み方、アプローチの仕方にもよると思うので、なかなか難しい問題なんですが、私、秘策を授けます。

――ぜひ、お願いします。

門井　会話の中に使って違和感のある現代語の十中八九は、漢語なんです。漢字二文字か三文字の、いわゆる熟語ですね。事故とか、精神とか。失敗なんていう言葉もおそらく昔はなかったでしょう。そうした用語が会話文の中に入った時、これは浮いてるな、と思ったら、ルビを振ってしまえばいいんです。「失敗」の横にルビで「しくじり」と書けばいい。

――なるほど。では、精神はどうですか？

門井　「精神」には「こころ」とルビを振るとか、場合によっては「むね」と振ってもいいですよね。「精神が熱くなったな」と書いて「むねが熱くなったな」と読ませるわけです。そうすれば、江戸時代の空気や肌合いみたいなものを残しつつ、現代語の分かりやすさを読者に届けられる。だって、同時に二通りの書き方をしてるわけだから。これが私の秘策でございます。

――「失敗＝しくじり」のように、両方の書き方を教えてくれる「秘策辞書」は無いですよね。自分で考えるしかないのでしょうか。

門井　うーん……国語辞典を使うっていう手はあるかな。さっきちょっと紹介した『日本国語大辞典』で「精神」の項を引くと、ずばっと「心」って書いてあります。でもこれも限界がある。

――そういえば池波正太郎さんの作品を読むと、「長官」と書いて「おかしら」とルビが振ってあります。

門井　そうそう、まさにそういうことですね。

分かりやすく・素早く・下品でなく

――門井さんは新人賞にどのような作品が来ることを期待していますか。

門井　まず文章がいいことですね。先ほども言ったように、分かりやすく、素早く、そして、上品とは言わないまでも下品ではなく――これを追い求めた文章には好感を持ちます。そういう文章で書かれている小説は、ストーリーもちゃんと展開していることが多いものです。それは推敲の大切さを物語っているんですね。文章そのものを直していると、おのずから、その前後のストーリーが不自然かどうかまで目を配ることになるからです。そういう点では、推敲というのは作品の信頼性を保証してくれるんですね。

――上品と下品という言葉が出ましたけど、何が上品で何が下品か、もう少し具体的に教えていただけますか？

門井　もちろん上流階級を扱うという意味ではないですよ。文章から品がなくなるのは、自分が身につけていない、十分に自分の身についていない言葉を無理して使うときなんですね。そういうのを読まされると、ガッカリしてしまいます。

どんな人でも、日本語のすべてと深く付き合うことは、当然できない。僕もできないし誰もできない。誰にだって付き合いの浅い言葉があるものなんです。もちろん、時にはそういう言葉も使わなきゃいけないんですけれども、そのときも「自分はこんな言い回しもできるんだぜ」っていう感じが出るのは避けたい。文章っていうのは堂々と書くべきですが、得意顔で書いちゃいけないんです。

ですから、自分の手持ちの言葉だけで書く。その上で、そこから一歩だけ踏み出して文章を書く。物語を書く。この「一歩だけ踏み出して」っていうことさえ覚えておけば、うまくいくんじゃないかなと思います。二歩も三歩も踏み出さない。遠くから使い慣れない言葉を持ってこようとすると失敗する。もちろん固有名詞とかは別ですよ。形容詞、形容動詞あたりが危ないですね。「静かな湖」でいいのに「静謐《せいひつ》な湖」とか。

人物紹介だけは読みたくない

——歴史小説と言いますと、どうしても戦国時代か、江戸時代、それも幕末あたりを考えてしまう方が多いようです。門井さんの場合は、同じ時代を描くにしても『家康、江戸を建てる』のように、都市開発そのものがテーマになるなど、いろんなジャンルがあるんですね。新人賞に応募する方に、どんな発想を期待されますか？

門井　僕なんかは、いろんな国のものを読んでみたいですね。例えば中央ヨーロッパを扱った小説なんて、なかなかお目にかからないので、そういうのも読んでみたいけれど、でもまあ、書くほうも大変ですよね。参考になるものが少ないですから。

逆に、こういうのは読みたくないという話をしてもいいですか？

――もちろんです。

門井　僕が読みたくない歴史小説は、人物の紹介になってしまっているものです。これ、ちょっとプロでも勘違いしてしまいがちなんですけれど、歴史小説の目的は、歴史上の人物の紹介ではないんです。こんなに珍しい人物がいたから読者に紹介したい――それは教養書の著者の役割であって、歴史小説家の役割は、あくまでも小説的な感銘を読者に与えること。何度も言いますが、歴史と小説のどっちを取るか迷ったときは、小説を取ってください、という話なんです。歴史の方を取って、「自分はこんなことも知ってるんだぜ」みたいな小説は読みたくはない。それなら研究書を読む方がいい。こういう説明でお分かりいただけるでしょうか。

――とってもよく分かりました。ありがとうございました。

安部龍太郎

安部龍太郎の五箇条

◇職場にも学びのチャンスはある

◇現地で歴史を体感する

◇歴史解釈に一〇〇％の正解はない

◇友人の厳しい一言がヒントに

◇プロ＝表現者の目＋編集者の目

安部龍太郎（あべ　りゅうたろう）一九五五年、福岡県八女市生まれ。久留米工業高等専門学校の機械工学科を卒業後、東京都大田区役所に就職、区民係に配属されたのちに図書館司書を務める。この間に数々の新人賞に応募し、「矢口の渡」がオール讀物新人賞の最終候補となる。単行本デビューは一九九〇年『血の日本史』。二〇〇五年には『天馬、翔ける』で中山義秀文学賞、一三年『等伯』で第百四十八回直木賞を受賞。『家康』『宗麟の海』『海の十字架』など意欲作を次々と発表する。

――今日は、安部さんにこれからプロの作家を目指す人たちに向けて、自身の修業時代の話や歴史小説の書き方について伺っていきたいと思います。

安部　こういう機会をいただきまして、ありがとうございます。五年前（二〇一六）からオール讀物新人賞の選考委員をさせていただいておりますが、実は、僕の作品も同賞の最終候補作になったことがあります。それが第六十七回。二〇二一年は第百一回ですから、今から三十四年前のことです。残念ながらそのときの「矢口の渡《わたし》」は受賞できなかったわけですが、もし受賞したら新作を依頼されることになるだろうからと、先に受賞第一作を書いておこうと思いました。そして、実際に小説を書きました。しかし待てど暮らせど、何の連絡もない。「ああ、これ、落ちたんだな」と悟って、その原稿を三か月後に小説新潮新人賞に応募しました。その小説も最終候補には入ったものの落選したんです。

新潮社の編集者二人から「我が社でなんとか君を育てたい」というオファーがありまして、それでプロの作家を目指すことになった。つまり、あの第六十七回オール讀物新人賞が、僕の作家への夢を繋いでくれたわけです。

これらの一連の経緯は、それまで現代小説を書いていた私に、歴史小説に転換するきっかけも与えてくれました。

いま話を聴いていただいている方々も、きっとその頃の僕と同じような気持ちで小説を書き、新人賞に応募されていると思います。そんな方々にとって少しでも参考になり、ヒントになるようなことをお話しできればと思っております。

小説を書くための心技体

——小説を書くといっても私小説やミステリーなど様々なジャンルがあります。その中でも歴史小説を書くとはどのようなことなのか、まずはそこから伺っていきたいと思います。

安部　歴史時代小説はどう書いたらいいのか、皆さんも悩んでおられると思います。実をいいますと小説を書くことに、誰にでも当てはまるノウハウというものはありません。小説家は一人ひとりが、まったく違うからです。すべての人に通用する法則は、誰も教えることはできません。では、どうすればいいのか？　それは、作家になった僕のような人間が、どうやって壁を乗り越えたのかを体験的に語る以外にありません。

そこで、今回は、僕が小説を書くときに大切にしている「心」「技」「体」の三つについて、話をしていこうと思います。

まず、小説の場合で「心」というのは、なぜ小説を書くのか、なぜ書かずにはいられないのか、さらには、作家として自分は世界とどう向き合おうとしているのか――。そういったものが小説における「心」にあたります。

つぎは「技」、すなわち小説の技巧（テクニック）ですね。これを身につけるには、自分に合った文章のスタイルを見つけることが重要です。

最後は「体」、これすなわち体力です。まさに健康が一番。健康を害したら小説は書けなくなる、という意味合いと、もうひとつ「小説的体力」も必要なんです。小説的体力とは、知識と教養と思考力を身につけていくことです。

以上の心技体の三つが合わさって、一人の小説家が出来上がる。そのことをこれから具体的にお話しさせていただこうと思います。

確率わずか一万分の一

安部　まずは、大前提として新人賞をパスしてプロの作家になれる確率はいか程なのかを考えてみましょう。新人賞は、だいたい一千本くらいの応募作から一本の受賞作が選ばれます。時折、複数の受賞作が出ることもあるけれど、通常はたった一本です。つまり、千分の一の難関をくぐり抜けなければならない。

でも新人賞をとったからといってすぐプロになれるかといえば、そうではないんです。たとえば「オール讀物」だったら、文藝春秋の編集者が付いてくれて、そこから本を出す作業に入ります。そうして一冊目の本が出る。でも、二冊、三冊と続く人はなかなかいない。僕がこの三十数年間、作家として見てきた限りでは、新人賞を受賞して三年後、五年後まで本を出せる人は、だいたい十人に一人。つまり、皆さんがこれから目指そうとしている道は、大まかにいって一万分の一の確率になる。そう思っていただきたいと思います。

そうした世界に飛びこむ際に一番重要なのは、「心」です。自分はなぜ小説を書くのか。どのような小説を書くのか――。皆さん、この問題をじっくりと考えていただきたい。そうしなければ一万分の一の壁は越えられないし、たとえ越えられたとしても、十年後、二十年後に作家でいられる保証はありません。実をいうと、今日の話の一番の目的が、この「心」の問題を皆さんにお伝えすることなんです。

高村光太郎《たかむらこうたろう》に「道程《どうてい》」という詩がありますね。あの中に、

〈僕の前に道はない　僕の後ろに道は出来る〉

という一文があります。それと同じ道を、皆さんも今、歩もうとしています。

皆さんは、なぜ作家になろうと考えているのでしょうか。いろんな理由があるかと思います。かつて読んだ本に感動したから。おのれの心の欠落は小説を書くことでしか埋められないから。書くことが好きで好きでたまらないから。流行作家になればかっこいいし、お金も入ってくるだろうから……。

では、安部龍太郎の場合はどうなんだ、というところから話をはじめましょう。僕は十七、八歳の頃に、いくつかの壁にぶち当たった。いわば青春の蹉跌《さてつ》ですね。こんなに苦しいのなら、もう生きていなくてもいいんじゃないか、というところまで自分を追い詰めた時期があったのです。

その時に作家の小説やエッセイを読みました。戦後無頼派と呼ばれる一連の作家がいますね。太宰治《だざいおさむ》、織田作之助《おださくのすけ》、檀一雄《だんかずお》、石川淳《いしかわじゅん》、田中英光《たなかひでみつ》……その中でも僕が特別だと感じていたのが坂口安吾《さかぐちあんご》です。

彼の書いた「堕落論」は衝撃でした。原稿用紙にして三十五枚ぐらいのエッセイとも評論ともつかない文章なんですが、僕はこの作品にめぐり合うことによって、絶望する自分を相対化することができた。つまり救われたわけです。「ああ、生きていこう」という気力がまた湧いてきました。なぜ生きる希望が湧いてきたのかについては、あとでまた詳しくお話しするとして、作家というものがこんな風に人を救えるのなら、自分も作家になりたい、そう思ったわけです。

作家修業のために区役所勤め

安部　その頃の僕は、久留米高専の機械工学科で学んでおりました。小説は専門外です。十九、二十歳の僕は「小説家になるにはどうしたらいいんだろう？」と必死に考えました。

その結果、役所に勤めるのが作家修業の環境としては一番いいという結論に達しました。一九七七年、二十一歳で上京。東京都特別区の試験を受けて配属された先が大田区役所でした。区役所の区民係に三年間勤めたあと、上司を拝み倒して下丸子《しもまるこ》図書館というところに異動になりました。東急電鉄・目蒲線（当時）沿いにある図書館です。

区民係から図書館勤務に移って、ほんの少し作家に近づいた。というのも、そこには素晴しい上司がおられて、僕が作家志望だと知ると図書館で出している館報の編集をまかせてくれたのです。その人は早稲田の仏文科出身で、やはり作家を目指したことがある人でした。この理解ある上司のおかげで、また一歩、作家への道に近づいた気になれました。

小説家、とくに歴史時代小説家になるには、五年十年の修業期間がどうしても必要です。その間をいかに過ごしていくのか、生活はどうするのか、長期計画を持たなくてはいけません。そして、大望を成すには知恵と計略が必要です。僕の場合は、図書館勤務になることがそれだったわけです。

――知恵と計略というのが面白いですね。実際に図書館勤務の時代はどのように過ごしておられたのでしょうか。

安部　図書館では、書庫に籠もって本が読み放題で、いわば米蔵にネズミが忍び込んだようなものです。ただ、その頃はまだ歴史小説ではなく現代小説を書いていましたので、史料を読みあさるのではなく、様々な作家の本を読んでいました。たくさんの問題意識を自分の中で育《はぐく》んでいかなくてはいけないと考え、読書をしたのです。そこで、優良な本を選べる目を養うことができたと思っています。

――その頃読んだ中でどんな小説が心に残っていますか？

安部　やっぱり戦後無頼派の作家たち――坂口安吾、太宰治、それから織田作之助、あるいは檀一雄とかですね。

――司馬遼太郎さんの歴史小説は、どうですか？

安部　もちろん『竜馬がゆく』とか『国盗《くにと》り物語』は読んでいましたけども、そんなに熱中して読んだ方じゃないですね。

――こんな質問がきていました。

《十年の修業期間を短縮する方法はありますか？》

安部　近道はありませんが、一つだけ方法があります。自分を投影した人物や自分にしか書けない人物を見つけて、その人に徹底的にこだわることです。

役所を辞める

安部　作家を目指す皆さんも、小説を書くことと生活を維持することのあいだで大いに悩んでいらっしゃると思います。なにしろ、仕事をしながらその合間を縫って小説の勉強をするのは、なかなか難しいことです。僕もそのことで深刻に悩んだ。図書館に配属され、司書の資格も取ったあとに、同人誌のグループに入って小説の勉強をしていました。

ただし、先ほども申し上げたように、新人賞を受賞できるのは千人に一人。同人誌の仲間が仮に千人いたとすると、たった一人しか受賞できない。まあ同人誌に属していても本気でプロを目指しているのは一割の百人くらいでしょうけど、それでも確率は百分の一、ライバルが九十九人もいるわけです。

僕は焦りました。ライバルの中には仕事を持たず、二十四時間をフルに作家修業にあてられる人もいるわけです。図書館に勤めていて本に近い仕事とはいえ、通常の業務もあるわけですから、一日八時間は確実に仕事に取られる。僕とライバルたちとの差は開く一方だと考え始めた。「こんなことじゃダメだ。仕事を辞めて背水の陣で勉強をしなければ、とてもプロの作家にはなれない」、僕はそう思うようになっていったのです。

これが二十六、七の頃ですね。しかし、なにしろその当時、妻も子どももおりましたので、家族を養わなければいけない。作家になるために仕事を辞める決断がなかなかできなかった。その勇気がなかったというべきかもしれません。

「天上天下唯我独尊」の真実

安部　それで悶々とした日々を過ごしていたある時、同人誌の友人がインド旅行に誘ってくれました。そこで格安航空券を使って十日間ほどインドを旅しました。その時にひとつ悟ったことがあるんです。それは、人間はありのままで尊い――。

インドに行かれた方、あるいはインドが好きな方ならお分かりになると思いますが、釈迦《しゃか》が生まれ、ヒンドゥー教を信仰しているインドでは、ヒンドゥー教と仏教の教えが生活の中に非常に強く生きています。この二つの教えはいずれも「人間はありのままで尊い」ことを基礎に成り立っているのです。

ちょっと深入りしますけど、ヒンドゥー教には「梵我《ぼんが》一如《いちにょ》」という教えがあります。梵というのはブラフマン、宇宙の摂理です。我というのはアートマン、個の摂理です。つまり、宇宙の摂理と個の摂理とは同じものであるということになる。そこから、人間はありのままで尊いという教えが導き出されるわけです。

一方、お釈迦様がお生まれになった時に、天を指して、「天上天下《てんじょうてんげ》唯我《ゆいが》独尊《どくそん》」と言われたことは、皆さんよくご存じでしょう。あれはよく誤解されていますが、「唯我独尊――私だけが尊い」などという意味ではなくて、「この天上にも天下にも、たった独り、かけがえのない私がいる」という意味であって、かけがえのない私を立脚点として進みなさい、という教えなんです。

インドの人たちは、人間はありのままで尊いという空気の中で日々生きている。僕もインドを歩き回るうちに、そんな空気にふれて教えの意味を体感できた。

人間がありのままで尊いなら、人間の善悪とか優劣といった我々が縛られがちな固定観念も、元々は無いんだということになります。同じように、幸福とか不幸も実は無いということ。そこから導かれるのは、我々が見ている善悪とか幸不幸はこの世限りの幻影にすぎなくて、本当に重要なのは、そうした幻影に操られることなく、自分自身の真実を探りだすべきである、ということなんですね。

だとすれば自分が信じている生き方を貫くことこそが、実は自分の真理に近づく、唯一の方法じゃないかと思えてくる……。

勤めを辞めて背水の陣

安部　僕は日本へ帰るとすぐに役所に辞表を出しました。まさに背水の陣です。「たとえプロの作家になれずに野垂れ死にしようとも、家族が離ればなれになろうとも、俺は作家になるんだ！」そう思えたことが一歩を踏み出すきっかけになったんです。

実を言いますと、この「人間はありのままで」の思想は、坂口安吾が「堕落論」の中で述べていることなんです。坂口安吾は東洋大学の印度《インド》哲学出身なので、ヒンドゥー教とか仏教の教えをよく分かっていました。敗戦の混乱の中、元特攻隊員が闇屋になったり女性が身を売ったりするのは、堕落でもなんでもなくて、ありのままの人間に還《かえ》っただけだ。そうした自分を見つめ直して、初めて人間は前に一歩踏み出せるのであるというのが安吾の「堕落論」なんですね。

僕は十八歳で安吾と出会い二十八歳でインドに行ってこうした思想を体感し救われたわけですが、その経験が今に至るまで自分を支えています。ものの見方を支え、生き方を支え、小説の書き方を支えてくれているのです。

僕にとって核となる思想や哲学がどういうものかを、皆さんにも分かっていただきたいと思って、ちょっと長くて小難しいお話をさせていただきました。

「二年間だけ時間をくれ」

――それにしても、いきなり仕事を辞めてしまったわけですから、奥様も驚かれたでしょう。

安部　家を追い出されそうになりました（笑）。

――けれども追い出されなかったわけですよね。そこはどのように説得されたのですか。

安部　家内には「二年間だけ時間をくれ」と言いました。「俺に従え」などと偉そうに言うわけにもいかないですから。二年間、全身全霊で小説に打ち込んで目が出なかったら、また就職する、ということで納得してもらいました。

――ちょうどその時代に、オール讀物新人賞に応募されたんですね。

安部　本当に「オール讀物」には救われましたよ。ちょうど約束の期限である二年目の三月、新人賞の最終候補になったという通知が来たんです。結局は落ちましたけども、その通知を家内に見せて、ここまで来たんだから、あと一年延ばしてくれと頼み込むことができた。

——それが「矢口の渡」という作品ですね。それまで現代小説をお書きになっていた安部さんが、歴史時代ものへ転向されたのがこの作品です。

安部　矢口の渡し（東京都大田区）は、あの細川たかしの歌でも知られる矢切の渡し（東京都葛飾区）と混同されるんですけれども、まったく別です。当時、勤めていた下丸子図書館の近くにありました。多摩川大橋がかかるまでは実際に渡船場として利用されていたそうで、南北朝時代に、新田《にった》義興《よしおき》（義貞《よしさだ》の子）が騙し討ちにあって殺されたといわれる史跡があるんです。

その矢口の渡しのことを図書館の利用者にも知っていただこうと、いろいろ調べて文章にまとめることにしました。折角《せっかく》調べたのだから、これをもとに小説にしてみようか、と思い立ちまして、役所の文芸誌に発表したのです。これがとっても評判が良かった。

——矢口の渡しが図書館の近くにあったことがきっかけになったということですけど、歴史小説を書くためには、現地へ必ず足を運ぶということも重要でしょうか？

安部　その通りです。人間には五感というものがあり、第六感というものもあります。主人公がこの場所に立って何を見たか、というのは、そこに立ってみて初めて分かる。その土地の風景、空気、風の向き、あるいは流れている川の川幅や水深、流れの速さなど、そこに行かなければ体感として理解できないですよね。ですから現地に足を運ぶこと、これが重要だというのが一点。

もう一点は、日本の歴史の場合、中央で語られている、いわば権力の側が作った歴史をつい信じ込みがちですが、地元に行くとまるで様相がちがったりするんです。例えば反乱を起こして敗れた人間が、地元の人たちから大変愛されていたりすることはよくあります。その地元の人がどのように愛しているかを聞くことによって、反乱を起こした真意、真相というものが見えてきたりする。そんなこと、史料を読むだけではなかなか分からないですからね。

小説の視点あれこれ

――現代小説から歴史小説への転向は、大きな決断だったと思いますが、そのあたりのことを伺えますか。

安部　少し遠回りになりますが、小説の一番基本から話を聞いていただきたいと思います。

皆さんご存知のように、小説には一人称と三人称、ふたつの形式がありますね。中には変則的に二人称という形もあるんですが、それは措《お》くとして、一人称は、例えば平安朝時代の日記文学とか、太宰治や葛西善蔵《かさいぜんぞう》の作品のような私小説と呼ばれる分野の小説があります。一方の三人称は主にヨーロッパで発達したもので、神の視点で人物を描写する方法です。フランスのゾラとかバルザック、あるいは現代のミステリーやサスペンスなどですが、この三人称には、ひとつ、基本的なルールがある。それは、ある視点人物で書いている時には、他の視点人物の視点を入れないというルールで、そこを混合しないようにする必要があるわけです。

まず、一人称の小説で考えていきましょう。これは「わたくし」の視点で書くわけですから、書き手の内面を作品に反映させる上で非常に有効な形式です。小説を書き始める頃には適している方法でしょうね。一人称文学が、日記や手紙、告白などの形で始まっているのは、そういう理由があるからです。それが私小説というジャンルにまで進歩していく。

　これに対して三人称の小説は、神の視点で広い世界を捉えるのに適しているんですね。この方法は、神話とか物語などに使われた方法ですけれども、ただ、書き始めの頃は三人称で書くのは非常に難しい。Aさん、Bさん、Cさんというような人を、それぞれ個性的に描き分けることが必要だし、彼らが直面している世界、生きている世界をそれぞれ描き分けるのは、なかなか難しいものです。この三人称の小説は、かなり書き慣れてこないと自分のものにできない方法といえますね。

紫式部とドストエフスキーの接点

安部　付け加えるともうひとつ、一人称と三人称を融合させた方法が日本で独特の発達を遂げました。これが物語と言われるジャンルの文学ですね。全知全能の「わたし」は何もかも知っていて……といった調子で、年老いた女性が囲炉裏端《いろりばた》で昔話をするように三人称の物語を紡いでいく。
　例えば紫式部《むらさきしきぶ》の『源氏物語』がそうです。あれを読まれた方はお分かりだと思いますが、三人称で進行していた物語の途中、ときおり紫式部が顔をのぞかせて、「私はなぜこんなことまで知っているのかしらね」と読者に語りかけるような文章が出てきます。そうしたテクニックを自在に使いこなしながら、語り手と読者の距離を縮めるわけです。三人称で広い世界を描きながらも、一人称によって自分をのぞかせるという手法なんですね。

しかし、この方法はけっこう難しいです。欧米のミステリーやサスペンス小説のような、厳密に視点を分ける三人称の方法を勉強した人ほど、この一人称＋三人称融合方式に移行するのが困難なようです。頭の中で視点が混乱してしまう。実をいうと、僕もこの方法でやってみて、作品の焦点が合わずに立ち往生してしまったことが何度もありました。

先ほど、融合方式は日本で独特の発達を遂げたと言いましたけど、ロシア文学のドストエフスキーも、実はこの方法を使っています。『カラマーゾフの兄弟』の一行目に、「今からもう十三年前に起きた事件だけれど」と書き出しておいて、何人かの人物を三人称で登場させたうえで、「それをこれから語ります」といった具合に、一人称と三人称を使い分けていますね。
こういう作品をたくさん読みこんでいけば、この融合方式も使いこなせるようになるのではないか、そういう気がしているんです。

司馬流の融合方式

――司馬遼太郎さんの作品にも、「余談だが」として自らの歴史の見方を書き込むような独特の手法が使われていますよね。

安部　司馬さんは、日本の歴史認識を変えようという大きな志、覚悟をもって作品に挑んでいました。だからこそ、「余談だが」の部分までもが、読者を引き付けることができる。ただし、司馬さんも、初期の作品では決してこの方法を使っていません。直木賞を受賞された『梟《ふくろう》の城』を読んでいただけばよく分かりますが、完全に三人称スタイルです。『竜馬がゆく』も前半部分は三人称のルールを守っているんだけど、書いていけばいくほど変化していく。三人称ルールでは読者に語りかけられないため、もどかしく感じられたのでしょう。

――安部さん自身がどのように人称を使っておられるか、具体的に話していただけますか。

安部　僕は、さっき申しましたように、小説を書くきっかけが坂口安吾とか太宰治でしたから、最初の頃は私小説に近い方法を使っておりました。ところがですね、僕が私小説を書くと、ついつい身辺雑記的なものになりがちだった。他人とは隔絶した凄い発想を持ち、鋭い観察力・描写力を備えていれば違ったんでしょうけど、どうもそうではなかった。僕の書く私小説は、ずいぶんと小ぢんまりとしたものになってしまったわけです。

そこで次に、「わたし」に個人の名前をはめ込んで、例えば「龍之介は」という風に書き替えていく書き方に移行していったんです。それと、好きな作家の文章を原稿用紙に写して、文章の持つ呼吸、ストーリー展開の呼吸を勉強しておりました。井伏《いぶせ》鱒二《ますじ》さんの『山椒魚《さんしょううお》』とか『屋根の上のサワン』とかを書き写して、その創作の秘密に迫ろうとしていました。十八、九から二十歳くらいの頃ですね。

しかし、やがて就職をして二十二、三になると、どうしても私小説的な世界の狭さに飽き足りなくなった。三人称小説でこの世界全体を捉えたい、という欲求を強く持つようになったんです。

作家修業の中で僕が一番影響を受けたのはドストエフスキーです。彼にも一人称小説的な『貧しき人びと』や『地下室の手記』のような作品がありますが、そこから徐々に、『罪と罰』とか『カラマーゾフの兄弟』などの長編に移って、三人称の作品を確立します。その方法を会得しようとしました。

同人誌の仲間たちとドストエフスキー研究会をつくり、四年ほどのあいだに彼の主要な長編小説を五回ずつぐらい読み返しましたね。そうすることで文章技術の秘密に迫り、創作の秘密に迫ろうとしたわけです。

やがて会の名前をロシア文学研究会に変えて、トルストイとかツルゲーネフとかの作品を読むようになりました。自分もこの作家のような作品を書きたいと思うなら、手本となる小説を何度も何度も読む、そして書き写す。このトレーニング法は僕の経験からしてとっても有効だと思います。

持ち込み、そして応募

——ロシア文学で積んだトレーニングの成果は、どういうものでしたか？

安部　自分が青春時代に行き詰った問題を、三人称で一人ひとりの人物に振り分けて、七百枚の長編を十年がかりで書いていたんです。そろそろ役所を辞める時期が来た、そう思いました。この長編を世に出したら、きっと自分はプロの作家になれる、そう思い込んでいたからです。

そして、役所を退職して一年間かけて仕上げ、出版社に持ち込みました。一社一社行くのは大変なので、シノプシスを書いて出版社に持ち込み、「こういう小説を書きましたから読んでください」ってアプローチしたんですね。

そのうち二社は読んでくれたけど、「ズブの素人の小説をいきなり単行本としては出せない」と言われました。それでも親切な編集者の方もいて、「君、新人賞をとりなさい。雑誌の新人賞をとってからなら本にすることもできる」と。

「よし、分かった！」

という訳で、役所を辞めて二年目は各社の新人賞にせっせと応募しました。皆さんもそうだと思いますが、自分の作品の一つひとつに期待を込めて郵送するわけですよね。しかし、どの作品も現代小説で、せいぜい一次予選ぐらいしか通らない。すっかり行き詰ってしまいました。

「もうダメだ。俺はもう作家になんかなれないだろう」

そう思って学生時代の文芸部の友人に相談したところ、厳しいことを言われたんです。

「いやあ、お前の書く現代小説はつまらん。書きたいことが先走ってて、説教小説のごとなっとるばい」

近しい友の福岡なまりはこたえます。でも、彼はこうも言ってくれたんです。「昔、お前が役所で書いた『矢口の渡』は面白かったぞ」

僕はもう、藁《わら》にもすがる思いで自分の作品を読み返しました。その頃、歴史小説は現代小説よりも文学性が低いのではないか、そんな勘違いをしておりましたので、「そこに降りるのはやめよう」と思っていたのです。

しかし、久しぶりに「矢口の渡」を読んでみると、思い違いに気づかされました。

現代を書こうが歴史を書こうが、はたまた未来を書こうが、文学というものに違いは無いのだ、と。

さっそくその若書きに手を入れてオール讀物新人賞に応募しました。そうして、生まれて初めて書いた歴史小説で最終候補に残ったのです。

友に読ませる気恥ずかしさ

――友人のアドバイスが安部さんを救ったわけですけれど、それにしても、自分の小説を「つまらない」と言われるのはこたえませんでしたか。自分の書いたものを近しい人に読まれること自体、気恥ずかしいと思う方も多いでしょう。

安部　正直に言えば、小説を書き始めた最初の動機はナルシズムですから、自分の内面をさらけ出した作品を、友人とはいえ他人に読ませるのは気恥ずかしいことだと思います。けれども、人に読んでもらわない限り、上達はできない。

その気恥ずかしさなんか問題にならないぐらい自分を追い込み、追い込むことによって作品が出来上がれば、その感情はどこかへ行ってしまいます。作品世界を作りたい感情というか欲求に比べれば、気恥ずかしさなど遥かに小さな問題だと気づくはずです。むしろそこまで行き着かないと、本当の表現者にはなれないと思います。

――時代小説ではありませんが、『鍵のない夢を見る』で直木賞を受賞した辻《つじ》村《むら》深月《つき》さんも、作家に憧れていた高校時代に書いた作品を読んでくれる友人がいたそうです。また、『八《や》咫烏《たがらす》』シリーズの阿《あ》部《べ》智《ち》里《さと》さんも、友だちのお母さんが小説を読んで、いろいろと批評してくれたことが、大いに参考になったと語っています。自分の書いたものを客観的に読んでもらってフィードバックを得るというのは、すごく大事だということなんでしょうね。

安部　まったくそうですね。だから作家を目指す皆さんは、ひとりで完結するのではなく、同人誌に入るとか、小説教室のようなものに通われるとか、あるいはインターネットで小説講座を受講した方がいいと思います。小説教室でも作品集を作ったりしていますから、そこに作品を発表して人に批評をしてもらうことができる。批評されるだけでなく、仲間たちの作品を読み批評することも、また重要な作家修業だと思います。

歴史小説と時代小説の境界線

――ここで質問をご紹介します。

《歴史小説と時代小説って、どのように違うんですか？》

安部　僕もよくそれを訊かれるんです。厳密にいえば、それほど差はありません。歴史小説と時代小説の間にはグラデーションがかかっている感じです。昔、森鷗外が「歴史そのままと歴史離れ」ということを言っています。歴史小説は、一般的にいうなら史実をひじょうに尊重して歴史の真実に近づこうという作品であるのに対して、時代小説というのは、史実とは関係なく、昔の時代を舞台や背景としてくり広げる小説ですね。

　時代小説のうちの代表的なのが「江戸の市井もの」と言われるジャンルで、池波正太郎さんの『鬼平犯科帳』などを思い浮かべてください。ただし、主人公の長谷川平《へい》蔵《ぞう》は実在するわけですから、その辺は非常に微妙なところです。

――安部さんご自身は、史実とフィクションのミックス度合いをどう考えていますか？

安部　要は「何を書くか」という問題だと思います。どんな小説を書くかがまずあって、そこに焦点がしっかり合っていればいい。僕の場合は、史実を尊重しながら、史実の背景にあったけれど、今は伝わっていない歴史、そういうものを織り交ぜるようにしています。ですから、最初にどれぐらいのミックス度合いでやるかを、決めているわけではありません。

歴史小説にもＬＧＢＴ？

――寄せられている質問の中に、《歴史時代小説であっても時流に合わせた方がいいのですか？》というのがあります。例えば最近なら、「ＬＧＢＴの生きづらさを小説に投影した方がいいのでは？」といった疑問ですね。歴史時代小説にも現代の価値観を入れていくべきだ、みたいに考える方もいるようですね。安部さんはそういうのを意識されますか？

安部　僕はまったく意識しなかったですね。自分の書きたいものを書く、あるいは自分しか書けないものを書く。時流なんてものは五年十年ですぐ変わります。もしテレビのワイドショーのコメンテーターで出るんだったら、そういうことを考える必要があるかもしれないけれど、小説はそういうものではないと僕は思っています。

もっといえば、時流に合わせて書いたものにロクなものはないですよ。それは自分の真実の気持ちに根ざしていないからです。例えば皆さんが恋人とデートをなさったとしますね。その場合、それほど相手を好きじゃないけど、相手が好いていてくれるから相手に合わせたところで、気持ちが相手に伝わらないし、自分も嫌な思いをするだけだと思います。

先ほど心技体の「心」のところでも言いましたけど、自分はこういう哲学や思想を持って表現するんだ、という強い思いがなければ、とても一万分の一の確率はクリアできないということなんですよ。

――「技」に関して質問がきています。

《プロットをつくるときに意識している点を教えてください》

安部　面白く、読みやすく、深みのある物語にすることですね。はじめのうちは、好きな作家の長編小説を徹底的に分析して真似をしてください。

――《物語を面白くするための技術的な部分をもっと知りたいです》

安部　小説が一番面白くなるのは、作家の想像力が縦横に働き始めたときです。それは、作家の問題意識や世界観と書いている小説のテーマがピタリと重なった時であって、技術ではありません。

僕が生まれた山奥の村落

――さて、ここからは「体」についてお話をうかがいましょうか。

安部　小説新潮新人賞に落選した後、新潮社の編集者二人が付いてくれたところまではお話ししました。そのあと、編集者からこんなことを言われたんです。

「これからあなたをプロとして育てます。ちゃんとデビューできるまでは、他社の編集者から声がかかっても応じないで下さい」

編集者はどうしてこういうことを言ったのでしょうか。あれも得意これも得意といくつもの傾向の作品を出すのではなく、得意技をもった作品ひとつに絞る必要があるからなんです。新潮社の編集者が僕をそこまで見込んでくれたのは、現代小説では一次予選しか通らなかったのに、歴史小説だと二作とも最終候補になれたからだと思います。

ならば、なぜ歴史時代小説が功を奏したのか。さまざまな分野に挑戦して自分にピッタリと合うものに出会えたからだと僕は思っています。

僕が生まれ育った福岡県八女《やめ》市黒木《くろぎ》町という所は、南北朝時代の南朝方と関係の深い山奥の村落でした。僕が生まれた昭和三十年代はまだ、村落共同体の暮らしがそのまま地域に残っていて、爺さんや婆さんが囲炉裏端で南北朝の昔ばなしをしながら、世が世であれば我々もなぁ……、と語るのを幼い頃から聞いていました。

その後、久留米市の久留米高専に通うわけですが、なんとなく違和感がありました。田舎のネズミが町のネズミに囲まれたわけですから、田舎ネズミ君に現代の暮らしがしっくり来ないのは仕方がない。文学を志しても、自分の内面にないものは書くことができないわけです。

現代小説を書いて新人賞に落選をつづけた末にたどりついた歴史小説が、自分の中の資質とピタリと合っていた。考えてみれば、役所の文芸誌に書いた「矢口の渡」のあと、だいぶまわり道をしていたんです。

なにも皆さんに書く小説のジャンルを絞りなさい、と言っているわけではありません。現代小説、時代小説、歴史小説、ファンタジー、ミステリー、童話……いろいろある中で、ひとつのジャンルの作品を書き続けるのはいいとして、時には遊びのつもりで、あるいは気分転換のつもりで異なる分野のものを書いてみる。そうすると、書いている自分の気持ちが自然と乗ってくる瞬間があります。それがその人に相応しいジャンルなのだと思います。僕の場合は歴史小説がそうでした。

ジャンルにこだわらないこと。まして、現代小説でなければ文学じゃない、みたいな誤った考えにとらわれないこと。それが重要だと思います。

「でかした、アベちゃん！」

――先入観に捉われすぎないことも重要であるということですね。

安部　そうですね。次に編集者から僕が受けたはじめての訓練についてお話しましょう。

編集者が言ったのは、「長編小説を書きなさい」「長編を書きながらプロとしての技を磨きなさい」ということでした。最初に全体の構想を立てて、第一章から第十二章ぐらいまでに分ける。一章につき百枚ずつ書いて、二か月に一度、二人の編集者に読んでもらう。これがもうびっくりするくらいに、ダメ出しの嵐なんです。「このプロットは要らない」、「この描写は全然なっていない。腰に刀を差して走っていく人間の姿がまるで描けていない」など、あらゆることを言われ続けました。

時代劇で活躍する俳優も、刀を差して走れるようになるまで相当時間がかかるそうです。重い刀を差している左腰に重心がかかるから、それなりの走り方をしないとサマにならない……そう聞いたことがあります。小説でも、サマになるような描写をさらっと書いて、それを読者に感じてもらう必要があるわけですが、それには書き続けるしかない。

そうした「あれもダメこれもダメ」の訓練は一年半の間つづきました。それでもなかなか先に進めませんでした。第三章まで書くのに、一年半もかかっているんですよ。

——よく辛抱がつづきましたね。

安部　いえ、つづきませんでした。ある時、机に向かうと頭痛と吐き気がするようになったんです。なにしろ背水の陣が一年半つづいている。その間、収入は一円もない。出版社がバックアップしてくれると言っても、プロ野球のように寮もあれば食事も出る二軍暮らしとは違い、生活費を出してくれるわけでもない。アドバイスに耳を傾ける際にコーヒー一杯くらいは出ましたけど、それだけです。こうなると、焦りがつのって、頭痛や吐き気がするのは無理もありません。

そして、ついに小説が書けなくなりました。自分が書いたものを読み返すこともできないし、人の本も読めなくなるという事態におちいったのです。

思い余って担当編集者に、「申し訳ないけれども、もう書けません。きっとこれは心の病だと思う」と告げました。そしたら編集者が、

「でかした、アベちゃん！」

と歓声を上げたのです。

「自分は編集者を二十年以上やって多くの新人作家を育ててきたが、新人がプロの作

家になるまでに、みんな必ずそういう症状が表れる。そうなるまでにふつうは三年から四年かかるのに一年半で出たのは、君の力量と優秀さの証だ」というんです。「ホンマかいな？」と正直なところ思いました。

でも、そう言われてしまうと、「えい、クソ！」という気になってしまいます。なけなしの金を集めて、第三章まで書いていた件《くだん》の長編の舞台を取材することにしました。どうせ書けないんなら取材旅行にでも行こう！　と割り切ったのです。それで一週間ほど近畿地方へ出かけました。

――息抜きになりましたか？

安部　取材から帰ってみると心境がまったく変わっていて、ダメ出しをされていた原稿を読み直すことができるようになっていた。読み直しはじめると、自分の欠点がハッキリ見えてきた。「ああ、編集者が言ってたのはこういうことだったか」とわかるようになっていたのです。おそらく、いつの間にか「プロの作家の目」が自分のなかに育っていたということなんでしょうね。

――「プロの作家の目」ですか。ぜひ詳しく聞かせてください。

安部　プロの作家の目とは、表現者としての目のほかに編集者としての目があることを指します。いわば鑑賞力とか眼力といったものなんです。それを表現者である自分自身が養っておくと、小説を書きながらでも、心の中の自分が「お前、その表現はおかしいぞ」と語りかけてくれるわけです。そういう頭の構造に変えていくためには、誰でも三、四年はかかるようです。それが僕の場合は一年半でできた。そして新しく書き上げた「師直《もろなお》の恋」を、「小説新潮」臨時増刊号に掲載してもらえました。

それから半年ほどして、今度は連載の依頼が舞い込んできました。「週刊新潮」である筆者が連載している企画を引き継がないか、という誘いでした。この企画は短編小説によって日本の古代から幕末までの事象を追いかけるものでした。

引き受けた僕は、この作品でいろんな短編小説の手法を試しました。一人称で書いたり三人称で書いたり、過去を追想するかたちで書いたり。およそ考えられるだけの方法で四十六編書いているんです。この連載が『血の日本史』（一九九〇）となり、単行本デビュー作となりました。小説の手法を学ぶ上で、皆さんの参考になるのではないかと思います。

技巧は二の次、三の次

――たとえ受賞に至らなくても、編集者や他の作家の目に留まるということは十分あり得ることですね。落選したからと諦めないでほしいと思います。

安部　そうなんですよ、分かるんです。僕も新人賞の選考をしていますから、まだ無名の人が書いたものでも、読んでみれば将来良い作品を書けるかどうか、だいたい分かる。

まだそこに至っていないという方は、他の人の作品をたくさん読んで、基本的な力量を高める、それしかないと思います。僕は学生時代にラグビーをやっていましたけど、ラグビー選手でもサッカー選手でも、テクニックや戦略は二の次、三の次なんです。一番大事なのは、速く走れること、強い体力を持っていること。速く走れば、少々技術が追い付かなくても、突破する力になるんですね。小説でも全く同じです。速くて強い力を身につけるためには、多くの作品を読んで、多くの作品を書いて、自分なりのスタイルを発見する。まずは、それができるかどうかなんです。

それを発見する瞬間は、ある日突然やってきます。僕の場合は、先ほどご紹介したように頭痛と吐き気に襲われた時がそうだったんです。皆さんにも必ずそれはやってくる、諦めなければ必ずです。たとえ落ちたとしても、その経験の一つひとつが積み上がって財産になっていきます。それまでに五年、十年かかっても、というぐらいの長期計画をもってチャレンジしていただきたいと思います。

思いの強さ・誠実さ・素直さ

――ここまでに言い残したこと、これだけは言っておきたいことがおありでしたら、お願いします。

安部　僕の話を聴いた皆さんはきっと、「そうか。それなら僕はこんな作家になってやるぞ」という具合に、夢を持っていただけたんじゃないかと思います。それはそれで素晴らしいことなんですけれど、夢を持つだけではダメで、心構えというものが必要です。一万分の一の狭き門をくぐり抜けて、なおかつ十年、二十年、三十年と成長を続けられる作家にどうすればなれるのか？　最後に、その心構えを三つお伝えしたいと思います。

一つは、「書かずにはいられない」という思いの強さです。小説に一生を懸けても悔いはないという決意と覚悟、そう言い替えてもいい。そして、自分には絶対にこれができるんだという根拠のない自信、これが意外に重要なんです。

二つめは、努力を惜しまない誠実さ。特に歴史小説、時代小説というのは、基本的なルールを覚えるのに十年近くかかります。ですから、決して近道をしない、要領でもってごまかさない、そういう誠実さを持っていただきたい。

三つめは、他人の指摘を受け容れる素直さ。先ほども言いましたけど、小説というものは基本的にはナルシズムから出発している場合が多いですから、なかなか他人の指摘を素直に受け止められないものです。同人誌の合評会を開いて互いの作品を批評し合うと、たいていは酒が入っているものだから、必ず摑み合い殴り合いの修羅《しゅら》場《ば》が出現する。

だけども、「俺の書いたものがお前なんかに分かるものか！」って腹を立てているうちは、誰もあなたの作品を理解してくれません。「なるほどな。あいつの言うことにも一理はある」、「全部は受け入れがたいけども、確かに俺のここのところは欠点かも知れん」と、客観的に自分を把握する力が備わってくればしめたものです。

夏目漱石はこのことを「則天去私《そくてんきょし》」——天に則して私を去る——という言葉を使って言っています。私が私がと自分を前面に出している間は、真実は見えないものである。それは眼も心も執着で曇っているからである。だから、そんな私を捨て去って天に則した瞬間に、今まで見えていなかったものが見えてくる——。漱石はそう言って戒めています。

食い違う史料の取捨選択

——では、ここからは、具体的な小説を書く技術に関して皆さんからの質問を紹介していきましょう。
《史料のAとBに食い違い——例えば年月日が違うとか、人の名前が微妙にズレているとかがある場合、どのように取捨選択すればいいんでしょうか？》
安部　これは多くの史料を読むしかないんですね。歴史小説を書くうえで重要なのは、その時代に対する目配りがどこまでできるかということです。一つの史料を読むだけでは落とし穴に嵌《はま》ってしまいます。日記ですと、本人の書いたものだから間違いなかろうと思いがちですが、記録者本人でさえ日にちを間違え人名を間違えることがあります。あるいは、その時代を専門にする研究者であっても、史料の間違いに気づかない人もいる。ですから、なるべく多くの情報を仕入れて、その中から自分が一番合理性、整合性があると考えるものを選ぶしかないですね。

そこで必要になってくるのが体力です。たくさん読むための労力を惜しんでは歴史小説を書くことはできない。そもそも、歴史の勉強をしないで歴史小説は書けないでしょう。体力をつけ、労力を惜しまないというのは、このジャンルにたずさわる者にとって基本的なスキルです。選考をしている立場からすると、「この人は江戸時代をよく知らないで江戸の市井ものを書いてるな」といったことも選考の重要なファクターになります。

——安部さんの徹底した史料調査に関しては皆さんご存知で多くの質問が来ています。

《アマチュアですと史料の入手や現地取材が難しいことが多いと思います。なにかプロになる前に使っていた裏技はありますか？　また、史料には出てこないオリジナルのキャラクターを登場させるのはありでしょうか？》

安部　まずは、自分の一番身近な所にあるテーマを深く掘り下げてみてください。先ほどお話したように、僕も勤めていた図書館の近くで起こった史実に取材し、「矢口の渡」を書きました。最初はそれでいいと思います。また、オリジナルのキャラクターに関しては、説得性、必然性があればすべてOKです。

――《史料はどのように集めて、保管するのでしょうか。引用は一言一句正確にしたほうがいいでしょうか、それとも読者の読みやすさを考えて手を加えてよいものでしょうか？》

安部　ひとつは頭の中に記憶し、必要な時に自在に取り出すことです。もうひとつは、行きつけの図書館を作って、図書館のどこに何があるかを記憶することです。すべてを自分の家に保管することは考えなくていいです。

引用に関してですが、僕のルールとしては一言一句正確に行うようにしています。

――《私は「この時代に自分がタイムスリップしてもある程度は生きていける」というくらい史料を読まないと安心できず、書き始めるまでに時間がかかってしまいます。プロの作家はどのくらいで切り上げて書き始めるものなんでしょうか？》

安部　自分が納得できるまで、徹底的にこだわって下さい。それも才能であり、強みです。史料の読み込み方でいえば、若桑みどりさんの『クアトロ・ラガッツィ　天正少年使節と世界帝国』などはとても参考になります。

――《そもそも一冊を書くのに、どれくらい史料を集め、読んでいますか。また、ご自身の中に蓄積のなかった時代はどのように勉強して小説に書いたのでしょうか？》

安部　それは、作品の規模によって違いますね。たとえば、安土桃山時代から江戸初期にかけて活躍した絵師長谷川等伯《とうはく》を描いた『等伯』（二〇一二）は六年かかりましたし、現在執筆中の遣唐使の阿倍仲麻呂《あべのなかまろ》は八年かけて調べています。蓄積のなかった時代は、長篇を書く前に、まず短編を一人称で書いています。もし、戦国時代を勉強しておられるなら、試しに織田信長を一人称で書いてみて下さい。

眼力を磨くために

――《古い時代の史料を読み進めているうち、当時の人の人生観や恋愛観は今とずいぶん違うな、と思うことが往々にしてあると思います。たとえば切腹など現代人は理解できないし、まして主君の後を追って切腹する「追い腹」に至っては、とても理解できません。そのような価値観の違いをどうやって折り合いをつけていらっしゃるんでしょうか？》

安部　それは史料の中の誰を取り上げて書くかの問題ですね。僕は、この人なら共感できるな、じっくり調べて書くだけの価値はあるな、という人しか小説の題材に選びません。要は、自分の書きたい人を発見することです。自分とは感性や生き方のズレている人は書かなくてもいい。切腹するような人は書けないと思うなら書かなくていいし、切腹を嫌って逃げ回る人に共感できるなら、その人を主人公にして書けばいいと思います。

――《歴史的背景についての知識を、違和感なく物語の中で再現するために工夫していることはありますか？》

安部　背景が先にあるのではなく、人物を描くために背景が必要なのだと考えることです。その意識がしっかりしていると、おのずから背景が立ち上がってきます。

――《物語を面白くするための技術的な部分をもっと知りたいです》

安部　前にも述べましたが、やはり一番面白くなるのは、作家の想像力が縦横に働き始めた時、作家の問題意識や世界観とテーマがぴたりと重なった時です。技術ではありません。基本は、自分が書きたい人物、テーマが先にあって、史料はそのために探すものです。逆に、史料を読んでいるときに、書きたい人物が新たに見つかることもあります。

――安部さんが、この人物こそ書きたいと思って書いたのはどなたですか？

安部　織田信長と徳川家康ですね。

――ちょうど、こんな質問が寄せられています。

《信長や家康の宗教観はとっても重要だと思いますが、普通の史料を読むだけでは、そういったことを深く知ることは難しいのではないかと思います。あるいは外国に史料があるのかも知れませんけど、安部先生はこれをどのようにお考えでしょう？　例

シルクロードの取材で訪れたパミール高原にて

えばインドでのご体験が参考になったりしますか？》

安部　これもやはり自分を磨くことなんですね。自分の眼力をどこまで磨くか。それには厖大《ぼうだい》な時間がかかります。宗教観というのは、なにしろ悟りのような世界ですからね。僕は戦国時代を書くのにイタリアにも行きましたし、ポルトガルにも行き、フランスにもイギリスにも行って、軍事博物館などを見てきました。あるいは教会を見に行ったりもしました。

フランシスコ・ザビエルは、ポルトガルの教会では四聖人の一人として教会の正面に祀られています。それほどにザビエルに対する評価は高い。そういうことは足を運んで、見て、感じて、眼力を養わないとなかなか見えてきません。たとえば、仏教がどうやって伝わり、どういうものを生み出してきたのかを探究するために、新疆《しんきょう》ウイグル自治区のウルムチからカシュガルまでシルクロードを見にいったこともありました（『シルクロード　仏の道をゆく』として二〇二一年に刊行）。

史料に話を戻しますと、織田信長の一代記『信長公記《しんちょうこうき》』は、家臣であった太田牛一《おおたぎゅういち》が江戸時代の初めにまとめたものです。そのため信長を知るための基本的文献とされています。しかし、『信長公記』には、意識的に構成に手を入れて、分かりにくくしている箇所もあります。別の史料には明確に書かれているのに、『公記』には書かれていないことがあるのです。どのような操作が行われているか、そういった部分まで見えるようにならなくてはいけないわけです。

そういう鍛錬を積み重ねていくと、史料から自分なりに発見したり、間違いを修正できる力がついてきます。自分が発見した所を立脚点として、もう一度複数の史料を点検すると、自分の直感の正しさを証明する史料が出てくるんですよ。もちろん、若い方、書き始めたばかりの方には難しいことでしょうが、何かが見えてくるポイントがあるんだということだけでも憶えておいていただきたいです。

家康はお市の方と婚約していた!?

――史料を修正しながら、自分の中で正しいと思われる歴史的事実が集まってくるとしますね。そこまで来たら、すぐにでも小説は書き始められるものなんでしょうか?

安部　そこまで来れば、長編の場合はしっかりとした見取り図を作ります。第一章から最終章まで、ほぼこういうストーリー展開にしようとあらかじめ考える。高い山に登る際に頂上までのルート図を作るのと同じです。しかし、実際に登り始めたら、がけ崩れで道が通れないなど不測の事態はしょっちゅうです。あとはもう、自分の反射神経と判断を信じて山頂を目指すことになりますね。

――『家康』(二〇一六)は、かなりの長編ですが、自立篇に始まって不惑篇、知命篇ときて飛躍篇までできましたね。連載中に不測の事態はありました?　それとも予測どおりですか？

安部　長さ自体はほぼ予定していた通りです。第一部から四部まで書いて、文庫本でいえば八冊分になりますが、残りあと四部、同じ分量を書こうと思っています。家康が生きた何歳から何歳まで、と区切って書いているので、ほぼ予定通りなんです。

予定と違うのは、書いているうちにいろんな発見があることです。原稿用紙にして三千枚も書くと、書くほどに家康という人間が分かってくる。そうして当初の構想とは違う展開が生まれてきます

徳川家康に関して不測の事態をひとつだけご紹介しましょう。家康と信長の妹のお市の方は、実は婚約していたんですよ。天正十年（一五八二）五月に、家康が信長のいる安土城を訪ねた折の接待の仕方でそれが分かります。さらにいえば、お市の方から家康に贈り物が届いている。これは、家康の家臣であった松平家忠《まつだいらいえただ》の『家忠日記』に書かれているんですね。

——信長の妹であるお市の方は、まず浅井《あざい》長政《ながまさ》の継室となり、次に柴田《しばた》勝家《かついえ》の正室となったというのが定説でしたが、信長は家康との同盟を強化するために、妹のお市

と婚約させていたという説が新たに浮かび上がったんですね。

安部　以前から、僕は二人が婚約していたに違いないと見当をつけていました。六年前に家康を書こうと思った時から「家康・お市の方婚約説」の構想をまとめていました。

実際に発表したところ、ずいぶんお叱りをいただきました。「あれは史実ですか？」という問い合わせばかりか、「何を戯《たわ》けたことを」という厳しいものもありました。それまでは証明する史料が何ひとつ無かったから仕方ありません。

ところがですね、二〇二〇年になって慶應義塾大学の浅見雅一先生が『キリシタン教会と本能寺の変』で、ルイス・フロイスがイエズス会総長に宛てた手紙を日本で初めて翻訳、紹介されたんです。それによると、「信長の義弟である家康」と四回も書かれている。これはもう間違いないわけですが、従来の歴史学者は誰ひとり発見できなかった。それを発見するのが小説家の眼力であり人間力です。皆さんにはぜひその域まで到達していただきたい。切にそう願っています。

確信さえあれば虚構も可

――確かに作家が作品に書いた後から史料の方が追いついてきた、という話はしばしば耳にします。そこで次の質問です。

《実在の人物を書くときに、史実とは違うことを小説の中に書いてしまっていいものでしょうか？》

安部　悪意のある改変は問題アリだと思いますけど、「この人物はこうしたに違いない」と信じられるほどの確信が書き手にあればＯＫです。もっといえば、確信さえあれば何を書いても構わない、そう思っております。

現代でも、ある殺人事件の裁判で証拠物件がテーブルいっぱいに並びますね。しかしその一つひとつについて弁護側と検察側では証拠価値に対する解釈が百八十度違う、なんてことはよくあります。まして証拠物件（史料）に乏しい歴史解釈では、一〇〇％こうだと決めつけられる事などまずありません。自分が真実だと信じているのであれば、実在した人物を傷つけたり、故意に貶めたりするような意図を持たない限りは何を書いても構わないと思います。

だいたい、悪意をもって書かれた小説は、説得力に欠けるからすぐ分かります。いかに小説はフィクションだとはいえ、説得力のないフィクションは、水に落とした油みたいに浮き上がってしまいます。

大石内蔵助を一人称で書いてみる

――歴史小説には難しい語句や複雑な人間関係が出てきますね。そこでこんな質問です。

《難しい語句などに、どの程度の時代考証的な説明を加えればいいのでしょうか？説明しすぎると小説の面白さを損なうのでは、と考えてしまいます》

安部　あまり説明しすぎないことですね。歴史小説を書き始めた頃、誰もが思い悩むのは、自分が書く物語と歴史的事実がどこで整合性を持つのか、なんですね。そのあたりが気にならずに書けるようになるまで、相当時間がかかります。いずれにせよ、「私が書くものが真実だ！」との確信、思いを持って取り組んでいただきたいと思います。

どうしても書けないときは、歴史上の人物を一人称で書いてみることです。たとえば、忠臣蔵の大石内蔵助《おおいしくらのすけ》を「わたくし」として書く。「私が吉良《きら》邸に赴いたときは、こういうものが見え、こういうことが起きた」という具合ですね。そうすることで「わたくし」の視点から見えることしか書かなくていいので、歴史的事実に縛られることが少なくなります。一度試してみていただきたいと思います。

――例えば内蔵助と主税《ちから》の会話が現代語だったりしてもよいのでしょうか？

安部　構わないですよ。読者は、「なんでござる」とか「さにあらず」みたいな表現を求めて読んでいるわけではありません。この作者は大石内蔵助をどのように捉え、どんな面白い物語を書いてくれるかに関心があるのです。ですが、「すべてが終わったらレストランに行こうな」というような科白《せりふ》はさすがにマズい。内蔵助にそのような科白を言わせるのは、その小説の格調にも関わってきます。書き手の歴史にまつわる教養、文学的素養に関わってくる。文章力も高ければ高いほど、その小説のクオリティや品格に繋がります。格調の高い小説が書きたければ、自分の尊敬する作家の作品、たとえば森鷗外のものなどをお読みになるといい。

ただし、あくまで格調の高い小説が書きたければ、の話であることに留意してください。格調の高い小説というものも、一つの在り方として在るということで、絶対ということではありません。

——直木賞作家の宮部みゆきさんと西條奈加《さいじょうなか》さんにお話をうかがったとき、宮部さんは「時代小説を今の若い方に読んでいただくために、会話で『マジ』って言わせてみたい」と。そして西條さんも「今どきの弱っちい男子高校生みたいな人物も書いてみたい」とおっしゃっていました。こういうのもOKということですね。

安部　OKどころか、どんどんやっていただきたいですね。僕も映画を観ましたけれど、大正時代を舞台にしたマンガ『鬼滅《きめつ》の刃《やいば》』（吾峠呼世晴《ごとうげこよはる》）は、なかなかよくできてるじゃないですか。小説でもあのような感じで構わないですよ。織田信長が現代にワープしてもいいし、現代人が戦国時代にワープしたっていい。そこにどれだけの説得力があり、人間の生き方がどれだけちゃんと描かれて、読み手の心を動かすか——それだけが重要なわけです。ただ、先ほども言いましたが、悪意を持って史実を歪めるような書き方をしないという点だけは、頭の隅に入れて勉強を続けていただきたいと思います。

スマホは十五秒で済むけれど

――歴史小説家を目指す方は、皆さん知りたいところなんでしょうね。《安部先生の必読史料を教えてください》

安部　たった一つ挙げよと言われたら、東京大学史料編纂所が刊行している『大日本史料』ですね。古代から幕末までずっと、年ごと日ごとに出来事が記されている。まず自分が書こうと思っている時代を開いてみてください。たとえば、室町時代の一四五〇年を背景に書きたい時には、一四五〇年七月五日にはこれこれこういう出来事があった、ということまで記されています。そうやって物語の背景が頭に入っていれば、他の史料を読んでもインスピレーションが湧いてくるし、人物に対する説得力も増してきます。だから、この『大日本史料』が一番のおすすめです。

――『火天《かてん》の城』などを遺して亡くなられた山本兼一《けんいち》さんも、父の書棚に『大日本史料』があって、それを目にしたことが歴史小説を書くきっかけになったとエッセイに書いておられます。

安部　そうですか。『大日本史料』は、既刊で百何巻かありますから、自分で持つのはとても無理ですけど、県や市の中央図書館には大抵ありますので確認してみてください。

――安部さんが普段手元に置かれている史料はありますか？

安部　『国史大辞典』（吉川弘文館・全十五巻）はお金を出して買いましたね。

――最近はウィキペディアというものもありますけど、そういったものは使われますか？

安部　便利なものができましたよね。昔は、織田信長が安土城で家康をもてなした時、一体どんな料理を出したんだろう、などと疑問に思って図書館に調べに行くと、一日二日かかったものです。ところが今やスマホで十五秒！　この便利さたるや、使わなきゃいけません。ただし、注意していただきたいのは、スマホやネットの情報は玉石混交で、間違った情報もかなり飛び交っていることです。その正誤を判断できる目を養わないといけない、ということも忘れてはいけません。

――なるほど、十五秒で済むとしても、歴史時代小説家としての眼力を養うまでには十五年かかる、ということですね。

安部　眼力があった上でスマホが使えれば鬼に金棒です。

唯一のコツは、一筆入魂

――では、最後の質問です。

《海外を舞台にした歴史時代小説はあまり見かけない気がしますが、読者が多くないのでしょうか？》

安部　そんなことはないと思いますよ。僕自身、『迷宮の月』（二〇二〇）――遣唐使の粟田真人《あわたのまひと》を主人公にした小説を書いていますし、『ふりさけ見れば』（日経新聞連載）は、タイトルでお察しかと思いますが、阿倍仲麻呂を主人公にした壮大な物語になる予定で、中国や日本が舞台です。

　大事なことは、なぜそこを舞台とするのか、その理由を自分ではっきりと意識することです。絶対にそこを舞台にして書くんだという情熱があれば、舞台は日本であるうが世界のどこであろうが、変わりはないと思いますね。

――安部さんはどんな作品を読みたいと思っていらっしゃるか、これから小説を書く皆さんに向けてメッセージを頂戴できますか？

安部　そうですね。心血を注ぐという言葉がありますけど、自分はこの作品に自分の全てを注ぎ込んだのだ、そう思えるような作品を読ませていただきたいですね。人物のキャラクターが鮮やかに立っていて、物語が展開される分野も、これまで見落とされてきたような斬新さがあるとか、そういう作品に高い評価を与えたいと思っています。

これはかねてから言っていることですが、良い文章を書くコツはたった一つしかありません。それは簡単なことで、一筆入魂です。

文春新書

1357

人生《じんせい》を豊《ゆた》かにする
歴史《れきし》・時代《じだい》 小説《しょうせつ》 教室《きょうしつ》

2022年4月20日　第1刷発行

著　者　安部龍太郎
　　　　門井慶喜
　　　　畠中恵
発行者　大松芳男
発行所　株式会社 文藝春秋

〒102-8008　東京都千代田区紀尾井町3-23
電話（03）3265-1211（代表）

印刷所　大日本印刷
製本所　大口製本

定価はカバーに表示してあります。
万一、落丁・乱丁の場合は小社製作部宛お送り下さい。
送料小社負担でお取替え致します。

ISBN978-4-16-661357-1

◆日本の歴史

渋沢家三代　佐野眞一
古墳とヤマト政権　白石太一郎
昭和史の論点　坂本多加雄・秦 郁彦・半藤一利・保阪正康
謎の大王 継体天皇　水谷千秋
謎の豪族 蘇我氏　水谷千秋
謎の渡来人 秦氏　水谷千秋
継体天皇と朝鮮半島の謎　水谷千秋
女たちの壬申の乱　水谷千秋
あの戦争になぜ負けたのか　半藤一利・保阪正康・中西輝政・戸高一成・福田和也・加藤陽子
日本のいちばん長い夏　半藤一利編
昭和陸海軍の失敗　半藤一利・秦 郁彦・平間洋一・保阪正康・黒野 耐・戸高一成・戸部良一・福田和也
昭和の名将と愚将　半藤一利・保阪正康
日本型リーダーはなぜ失敗するのか　半藤一利
「昭和天皇実録」の謎を解く　半藤一利・保阪正康・御厨 貴・磯田道史
大人のための昭和史入門　半藤一利・船橋洋一・出口治明・水野和夫・佐藤 優・保阪正康他
21世紀の戦争論　半藤一利・佐藤 優

なぜ必敗の戦争を始めたのか　半藤一利
歴史探偵 忘れ残りの記　半藤一利
歴史探偵 昭和の教え　半藤一利
歴史探偵 開戦から終戦まで　半藤一利
十七歳の硫黄島　秋草鶴次
山県有朋　伊藤之雄
指揮官の決断　早坂 隆
永田鉄山 昭和陸軍「運命の男」　早坂 隆
ペリリュー玉砕　早坂 隆
硫黄島 栗林中将の最期　梯久美子
日本人の誇り　藤原正彦
天皇陵の謎　矢澤高太郎
児玉誉士夫 巨魁の昭和史　有馬哲夫
江戸の貧民　塩見鮮一郎
火山で読み解く古事記の謎　蒲池明弘
邪馬台国は「朱の王国」だった　蒲池明弘
「馬」が動かした日本史　蒲池明弘
文部省の研究　辻田真佐憲

古関裕而の昭和史　辻田真佐憲
写真で見る日めくり日米開戦・終戦　共同通信編集委員室
暴かれた伊達政宗「幕府転覆計画」　大泉光一
大日本史　山内昌之・佐藤 優
日本史のツボ　本郷和人
承久の乱　本郷和人
権力の日本史　本郷和人
北条氏の時代　本郷和人
元号　所 功・久禮旦雄・吉野健一
歴史の余白　浅見雅男
明治天皇はシャンパンがお好き　浅見雅男
皇位継承　高橋 紘・所 功
江戸のいちばん長い日　安藤優一郎
江戸の不動産　安藤優一郎
西郷隆盛と西南戦争を歩く　正亀賢司
姫君たちの明治維新　岩尾光代
日本史の新常識　文藝春秋編
秋篠宮家と小室家　文藝春秋編

日本プラモデル六〇年史　小林　昇
仏教抹殺　鵜飼秀徳
お寺の日本地図　鵜飼秀徳
昭和天皇　最後の侍従日記　小林　忍＋共同通信取材班
令和を生きるための昭和史入門　保阪正康
内閣調査室秘録　志垣民郎　岸　俊光編
木戸幸一　川田　稔
「京都」の誕生　桃崎有一郎
皇国史観　片山杜秀
昭和史がわかる　ブックガイド　文春新書編
遊王　徳川家斉　岡崎守恭
東條英機　一ノ瀬俊也
信長　空白の百三十日　木下昌輝
感染症の日本史　磯田道史
平安朝の事件簿　繁田信一
婆娑羅大名　佐々木道誉　寺田英視
経理から見た日本陸軍　本間正人
戦前昭和の猟奇事件　小池　新

インパールの戦い　笠井亮平
東京の謎《ミステリー》　門井慶喜
歴史・時代小説教室　安部龍太郎　門井慶喜　畠中　恵
お茶と権力　田中仙堂
明治日本はアメリカから何を学んだのか　小川原正道

◆経済と企業

金融工学、こんなに面白い　野口悠紀雄
リープフロッグ　野口悠紀雄
臆病者のための株入門　橘　玲
臆病者のための億万長者入門　橘　玲
熱湯経営　樋口武男
先の先を読め　樋口武男
就活って何だ　森　健
ビジネスパーソンのための契約の教科書　福井健策
ブラック企業　今野晴貴
ブラック企業2　今野晴貴
売る力　鈴木敏文
日本型モノづくりの敗北　湯之上隆
詐欺の帝王　溝口　敦
さらば！　サラリーマン　溝口　敦
トヨタ生産方式の逆襲　鈴村尚久
グローバリズムが世界を滅ぼす　エマニュエル・トッド　ハジュン・チャン　柴山桂太・中野剛志・藤井聡・堀茂樹

税金を払わない巨大企業　富岡幸雄
消費税が国を滅ぼす　富岡幸雄
あなたの隣のモンスター社員　石川弘子
安売り王一代　安田隆夫
働く女子の運命　濱口桂一郎
人工知能と経済の未来　井上智洋
「公益」資本主義　原　丈人
お祈りメール来た、日本死ね　海老原嗣生
ルポ　税金地獄　朝日新聞経済部
日本株式会社の顧問弁護士　児玉　博
自動車会社が消える日　井上久男
日産vs.ゴーン　井上久男
新貿易立国論　大泉啓一郎
世界史を変えた詐欺師たち　東谷　暁
日銀バブルが日本を蝕む　藤田知也
AIが変えるお金の未来　坂井隆之・宮川裕章＋毎日新聞フィンテック取材班
なぜ日本の会社は生産性が低いのか？　熊野英生
会社員が消える　大内伸哉

キャッシュレス国家　西村友作
農業新時代　川内イオ
農業フロンティア　川内イオ
総会屋とバブル　尾島正洋
最強の相続　荻原博子
吉本興業の約束　大﨑　洋　坪田信貴
日本企業の復活力　伊丹敬之
グリーン・ジャイアント　森川　潤

(2022. 04) B　品切の節はご容赦下さい

◆世界の国と歴史

ローマ人への20の質問　塩野七生
歴史とはなにか　岡田英弘
常識の世界地図　21世紀研究会編
食の世界地図　21世紀研究会編
新・民族の世界地図　21世紀研究会編
カラー新版 地名の世界地図　21世紀研究会編
カラー新版 人名の世界地図　21世紀研究会編
フランス7つの謎　小田中直樹
一杯の紅茶の世界史　磯淵 猛
新約聖書Ⅰ　新共同訳 佐藤 優解説
新約聖書Ⅱ　新共同訳 佐藤 優解説
佐藤優の集中講義 民族問題　佐藤 優
池上彰の宗教がわかれば世界が見える　池上 彰
新・戦争論　池上 彰 佐藤 優
大世界史　池上 彰 佐藤 優
新・リーダー論　池上 彰 佐藤 優

独裁者プーチン　名越健郎
韓国併合への道 完全版　呉 善花
侮日論　呉 善花
韓国「反日民族主義」の奈落　呉 善花
イスラーム国の衝撃　池内 恵
「ドイツ帝国」が世界を破滅させる　エマニュエル・トッド 堀 茂樹訳
シャルリとは誰か？　エマニュエル・トッド 堀 茂樹訳
問題は英国ではない、EUなのだ　エマニュエル・トッド 堀 茂樹訳
中国4・0　エドワード・ルトワック 奥山真司訳
戦争にチャンスを与えよ　エドワード・ルトワック 奥山真司訳
日本4・0　エドワード・ルトワック 奥山真司訳
ラストエンペラー習近平　エドワード・ルトワック 奥山真司訳
21世紀 地政学入門　船橋洋一
地経学とは何か　船橋洋一
熱狂する「神の国」アメリカ　松本佐保
大学入試問題で読み解く「超」世界史・日本史　片山杜秀
ベートーヴェンを聴けば世界史がわかる　片山杜秀
戦争を始めるのは誰か　渡辺惣樹

第二次世界大戦 アメリカの敗北　渡辺惣樹
ルポ 絶望の韓国　牧野愛博
韓国を支配する「空気」の研究　牧野愛博
金正恩と金与正　牧野愛博
米中激突　陳 破空 山田智美訳
知立国家 イスラエル　米山伸郎
1918年最強ドイツ軍はなぜ敗れたのか　飯倉 章
「中国」という神話　楊 海英
独裁の中国現代史　楊 海英
ジェノサイド国家中国の真実　于田ケリム 楊 海英
人に話したくなる世界史　玉木俊明
16世紀「世界史」のはじまり　玉木俊明
トランプ ロシアゲートの虚実　小川 聡 東 秀敏
世界史の新常識　文藝春秋編
ヘンリー王子とメーガン妃　亀甲博行
コロナ後の世界　ジャレド・ダイアモンド ポール・クルーグマン リンダ・グラットン マックス・テグマーク スティーブン・ピンカー スコット・ギャロウェイ 大野和基編
コロナ後の未来　ユヴァル・ノア・ハラリ カタリン・カリコ ポール・ナース リンダ・グラットン リチャード・フロリダ スコット・ギャロウェイ イアン・ブレマー 大野和基編
パンデミックの文明論　ヤマザキマリ 中野信子

盗まれたエジプト文明　篠田航一

歴史を活かす力　出口治明

世界一ポップな国際ニュースの授業　藤原帰一・石田衣良

三国志入門　宮城谷昌光

悲劇の世界遺産　井出　明

シルクロードとローマ帝国の興亡　井上文則

いまさら聞けないキリスト教のおバカ質問　橋爪大三郎

プーチンと習近平　独裁者のサイバー戦争　山田敏弘

◆政治の世界

民主主義とは何なのか　長谷川三千子

司馬遼太郎　リーダーの条件　半藤一利・磯田道史・鴨下信一他

自滅するアメリカ帝国　伊藤　貫

新しい国へ　安倍晋三

日本に絶望している人のための政治入門　三浦瑠麗

あなたに伝えたい政治の話　三浦瑠麗

政治を選ぶ力　橋下徹・三浦瑠麗

日本の分断　三浦瑠麗

国のために死ねるか　伊藤祐靖

田中角栄　最後のインタビュー　佐藤　修

日米同盟のリアリズム　小川和久

軍人が政治家になってはいけない本当の理由　廣中雅之

小泉進次郎と福田達夫　田﨑史郎

日本よ、完全自立を　石原慎太郎

内閣調査室秘録　志垣民郎　岸　俊光編

軍事と政治　日本の選択　細谷雄一編

兵器を買わされる日本　東京新聞社会部

地方議員は必要か　NHKスペシャル取材班

知事の真贋　片山善博

政治家の覚悟　菅　義偉

小林秀雄の政治学　中野剛志

枝野ビジョン　支え合う日本　枝野幸男

検証　安倍政権　アジア・パシフィック・イニシアティブ